ハムダなおこ著

アラブに自殺、イジメ、老後不安はない

ムスリムにならう幸福の見つけ方

السعادة النفسية من
منظور إسلامي

Finding Inner Peace
through Muslim Perspective

国書刊行会

アラブに自殺、イジメ、老後不安はない

――ムスリムにならう幸福の見つけ方

目次

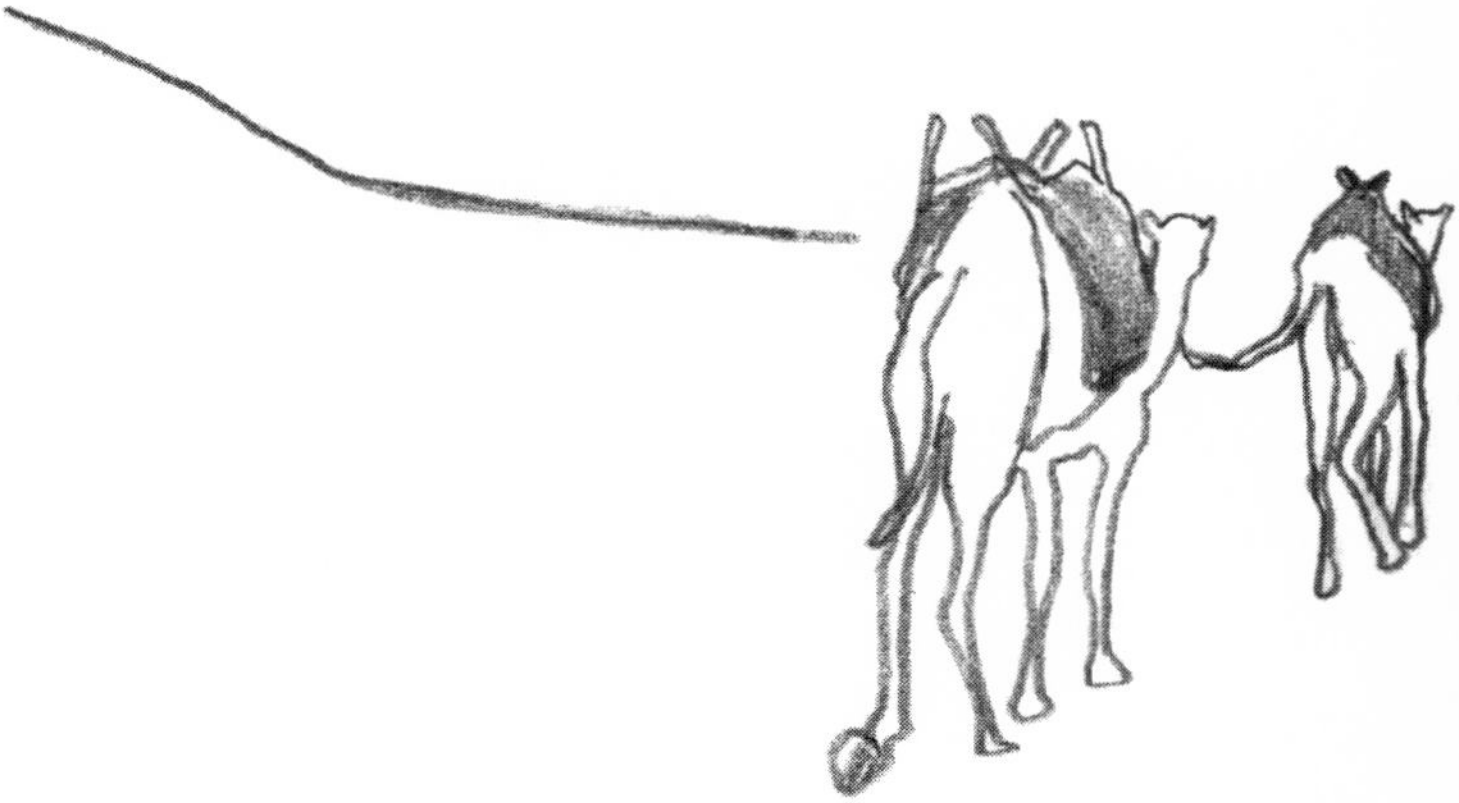

はじめに

タイトルをみて、ムスリムに何をならうって？　と驚いた人も多いかもしれません。しかし、地球人口の約4分の1がムスリムとなった現代で、すべてのムスリムが後進国に住み、国内紛争や貧困に苦しみ、テロ活動をしていると考えている日本人は、もはやいないでしょう。20世紀まで後進国だった国に教わることなんかない、戒律の厳しい非民主的な宗教社会が日本の諸問題に役に立つはずがない！　とまずは思わないで、21世紀に待ち受ける未来を、多方面の視点からとらえて幸福への道を探るヒントにしませんか。

世界に遅れを取ってはいけないと（明治維新から）猛進して150年、欧米に追い付き追い越せと戦後に爆走して75年、日本のみならず欧米諸国をも苦しめている問題が、21世紀になって噴出してきました。「孤独」、「イジメ」、「自殺」、「セクハラ」、「引きこもり」、「老後不安」など、日本ではすでに社会通念として語られるこうした問題が、世界の他の場所ではまったく存在しない、見たこともない、聞いたこともない、説明してもなかなか理解してもらえない現象であるのをご存知でしょうか。

私の住むアラブ社会で日本の諸問題について話すと、聞く人はみな笑って「そんな社会があるはずがない。大げさだ。誇張しすぎだ」と言います。どんなに説明しても、最後まで問題の本質を理解してもらえないのです。アラブのメディアで日本の問題が紹介された時も、「どういうこと？」と理解に苦しんでいます。つまり私の説明や語学力が足りないのではなく、アラブにはこうした問題を共有する社会的な土壌がないのでした。

反対に、日本人に向かって「私の住むアラブにはそういう社会問題はないのよ」と遠慮がちに話すと、ほとんどの人は首を振り、「それは間違いだ。あなたが知らないだけで本当はあるのだ。ない社会なんてあり得ない、絵空事だ」と断言します。私は頭からそう信じている人たちを否定せず、どうしてこれほど固く信じるに至ったかを想像し、戦後の日本社会の歪みと資本主義の限界を考えてしまうのでした。

実際のアラブ社会では、社会の宝である子どもを自殺に追い込む集団（交友関係、家庭、学校、組織、コミュニティ）があることも、あるいは家庭内暴力で死に至らしめることも想像できません。老人を孤独死するまで家族が放っておくなんて、地獄も怖れぬ所業だと思っています。人生の「勝ち組」という概念はまったく通じず、「お得」という感覚も、人間が「役に立つ」という表現も理解できません。従業員が死ぬまで働くなんて信じられない出来事だし、女性をハラスメントしたら、相手の部族と徹底的に闘う覚悟をしなければなりません。神を信じ敬虔に生きている一般のムスリムは、実はそういう人々です。

それは、イスラームに疎い日本人がアラブの諸問題を理解できないことに似通っています。ムスリム諸国は歴史上さまざまな辛酸をなめてきましたが、特に21世紀になってから多くの苦難に直面しているのは、皆さんがメディアで見てよく知る通りです。原理主義者のテロ行為や、ソーシャルメディアによる若者への煽りは、皆さんが想像もできないくらいアラブ社会を苦しめ、国際的に孤立させ、混乱を生んでいます。西欧民主主義をカンフル注射した「アラブの春」は跡形もなく消え、大国の押し付けた傀儡政府は混乱をきたし、石油は無償で外国の復興団体に流れ続け、人身売買と何ら変わらぬ難民手配者が横行し……。混乱が何年も続けば、教育の機会を失った子どもたちが成人して貧困の連鎖が始まります。日本人が「よくそんな恐ろしいことができるな」と唾棄するようなテロ行為を、自分たちの社会から無くしたい、どうにか止めさせたいと一般庶民が願っている気持ちは、日本人がイジメや自殺や引きこもりを何とか解決したいと思っているのと同じです。

明治開国以来、諸外国から何かを学んで自分のものにしていくのは、日本の得意技でした。それによって、開国後に不平等条約はあっても隷属国になることは避けられたし、19世紀の産業革命にも乗り遅れなかったし、戦後の経済発展も迎えることができました。では、21世紀の成熟した民主主義の社会で簡単に解決を見出せない問題について、そうした諸問題を最初からまったく持たない社会（ソサエティ）から、ヒントを学んでもいいのではないでしょうか。

見知らぬ世界の、そこここに散らばっている原石（生きるためのヒント）を拾い集めたら、社会を少しずつ変えられるかもしれない。変えられなくても、少なくとも拾い集めた人間の掌には、きればいいな色の原石が集まります。一人ひとりの人生が、その美しい原石によって変わることができればいい。遠いアラブの話なんて聞きたくはないと言わず、新しい見知らぬ社会について、「おもしろそう。知っていて損はない」と本著を手に取っていただければ幸甚です。

※本書ではイスラム教をイスラームと呼び、イスラーム教徒をムスリム（男性）、ムスリマ（女性）、預言者マホメットをムハンマド、コーランをクルアーンと表記します。

心に迷いを生じてはいけない。宇宙には統率者がいて、世の中が悪くなるように見えても、神という案内人はいる。（アラブの諺）

第1章 ムスリムにならう幸福の見つけ方

アラブには存在しない日本の現代病

21世紀となった現在、民主主義が発展し、国民が元首を選ぶことができる経済大国世界第3位の日本に、いろいろな問題が噴出しています。「イジメ」「若年層の自殺」「子どもの貧困」「少子高齢化」「過労死」「孤独死」「老後の不安」「セクハラ」「パワハラ」「引きこもり」……。こうした問題はすでに30年間以上も継続して国会で取り上げられ、専門家と多大な予算が振り分けられて対策を練ってきた社会現象です。しかし大きな改善を見ることはなく、世紀が変わっても問題はさらに深刻化していくばかりです。物質的には満たされ、基本的な国民生活は保障され、独裁者もおらず、主権は国民にある民主国家なのに、なぜ日本はこのような問題に溢れているのでしょうか。

２０２０年代の現在では少子高齢化は加速し、出産数は過去最低を記録しました。子どもの貧困は増えて六人に一人は貧困だと言われています。大人の引きこもりが60万人もいて、子どもを含めると百万人に迫ろうとし、孤独死の予備軍は激増しています。税金を払う勤労者数がどんどん減っていくのに、老人は爆発的に増え、貧困が進むので少子化は止まらず、いずれ家族同士で面倒を見ることが不可能になり、老後不安も孤独死も増えていく――すべて連鎖しています。こうした複雑な問題に対して、どうすれば社会の方向性を変えられ解決の光が見えてくるのか、日本はわからない状態になっています。

私の住むアラブ・イスラームの国には、このような問題は起こっていません。自殺もイジメも、引きこもりもセクハラも、過労死も孤独死も、社会問題になったことがないのです。そんな社会が果たしてこの世に本当に存在するのか、日本人は想像もできないかもしれません。これらの問題があまりにも当たり前になって、一人ひとりが自分の問題に心を占領されているため、同じ地球で同じ時代に同じ空気を吸っている別社会で、日本の諸問題を「まさか、そんなこと有り得ない」と笑っている人々がいることを想像できないのではないでしょうか。

しかし世界にはあるのです。特に、私の住んでいる国・地域には上記の多くの問題がまったく存在しません。その大きな要因はイスラームの教えです。世界にはムスリム国家（イスラームを国教とする国家）が56か国もあります。現在、世界にムスリムは16億人いて、世界人口の４分の１となりました。地球約200か国のうち4分の1以上は、そうした問題がない（というより国家問題にはなり得ないほど些末な）地域なのです。それをこれから紐解いてみましょう。

私の住むアラブ首長国連邦

私が現在住んでいるのは、アラブ首長国連邦（UAE）という中東にある小さな国です。アラビア半島の北東、アラビア海（ペルシャ湾）に面した国です。アラビア半島の南西側はサウジアラビア、東側はオマーン、アラビア海をはさんで北にはイランがあります。大きさは北海道くらいで、国土のほとんどは砂漠と土漠です。UAE国民には、古来から海岸線で海に関係する仕事をしてきた人（海の民）と、砂漠で交易や運搬を担ってきた人（砂漠の民）と、山岳地帯で農業をし家畜を育ててきた人（山の民）がいます。彼らの生活様式は少しずつ違い、それぞれ価値観や習慣も違います。UAEの首都はアブダビですが、商業地、観光地として有名なのがドバイ。その他に自治が認められた5つの首長国が加わって、1971年に「アラブ首長国連邦」が独立建国されました。建国からまだ49年目の比較的新しい国です。

人口は約9百万人で、そのうち9割弱を外国人が占めています。人口の72％が男性、28％が女性。半数以上が25歳から54歳までの男性で、つまり人口の大半が外国人労働者です。経済活動の主軸は

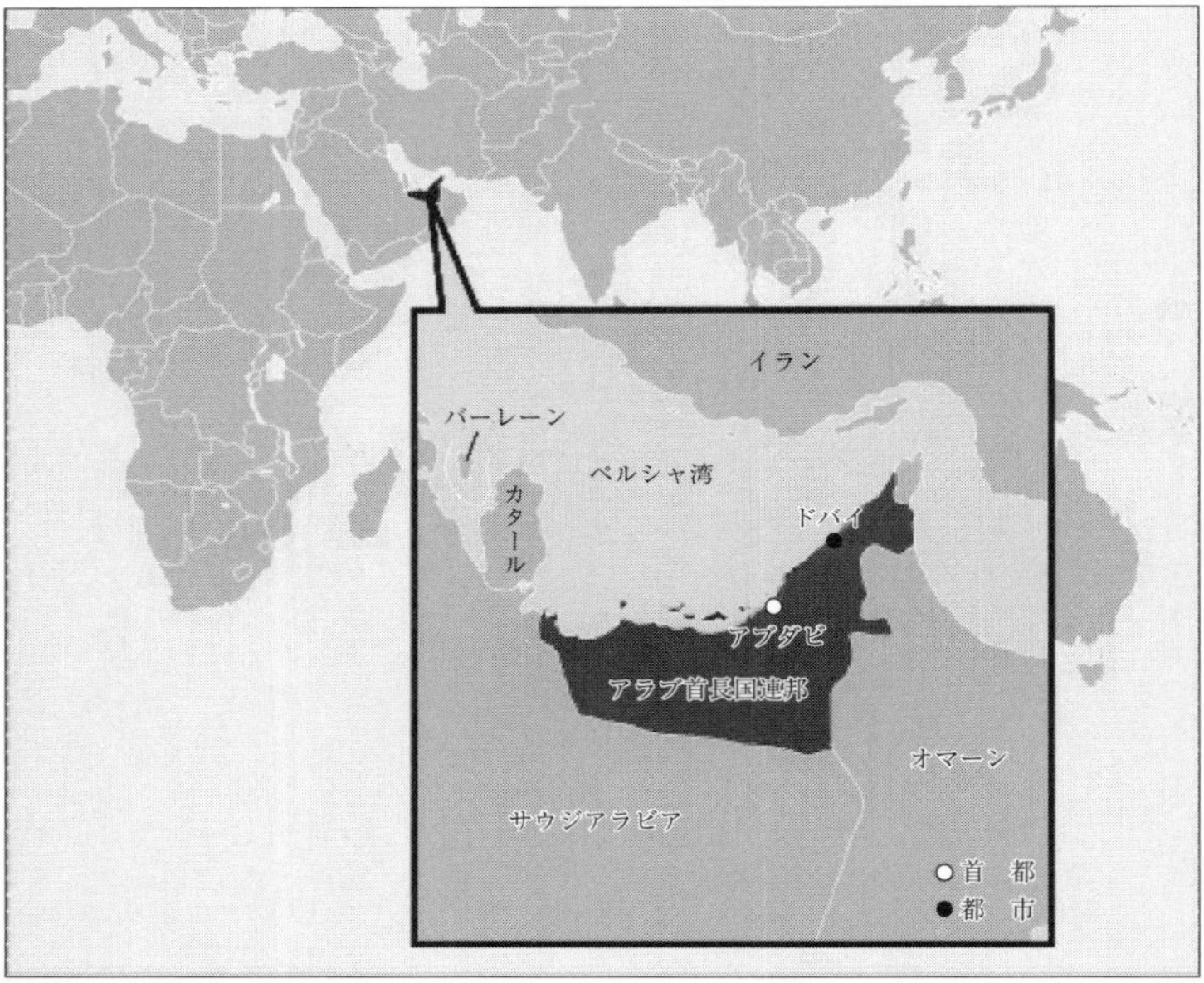

もちろん原油輸出で、２０１９年の統計では、世界7位の石油埋蔵量を誇り、１日の生産量は３９４・２万バレル。ほぼすべての原油は、国土の85%を占めるアブダビ首長国の地下に眠っています。

日本とＵＡＥの関係

日本は原油輸入の約3割を、この小さな産油国に頼っています。それほど重要な貿易相手国なのに、日本人が知るＵＡＥはほんの一面です。それも観光会社やＴＶのバラエティ番組が宣伝する「大金持ち」や「豪奢な生活」の側面ばかり。しかしわずか50年前、１９６０年代末に至っても、電気も水道もない後進国であったことは、あまり知られていません。現在ちょうど50歳代（１９６０年代生まれ）の人たちは、子どもの頃には電気も水道もなく、ナツメヤシの葉でできた貧しい小屋に住んでいました。ＵＡＥは原油の発見が１９５８年と他の湾岸諸国よりもずっと遅れたせいで、社会が発展するのも遅かったのです。灼熱の気候の下で砂漠の苦しい生活を送っていたのは、ついこの間のことなのでした。

この50年でＵＡＥは急速に発展し、今では世界に名だたる観光国となりました。世界の超高層ビルの17％がＵＡＥにあり、日本からの観光客は年間で10万５千人（２０１８年統計）にものぼります。しかし私が結婚した１９９０年には、誰も名前を聞いたことがない国で、世界地図上でその位置を正確に指せる友人は一人もいませんでした。

同時に、ＵＡＥ人もそれほど日本のことを知っていたわけではありません。日産やトヨタの車、ソニーやパナソニック、サンヨーなどの家電の輸出大国、工業立国として知られていました。その後、日本のアニメが世界を席巻し始めた頃から、日本人の生活や性格についても知られるようになりました。ＵＡＥ人の生活が少しずつ豊かになり、ようやく90年頃から海外旅行ができるようになると、日本へ旅する人も増え始めました。21世紀になり、日本のゲームが流行り、Ｊポップやドラマが広まって、寿司を始めとする日本食ブームで日本食レストランが林立し始めます。２０１７年に日本への旅行査証が不要になってからは、ＵＡＥ人が大挙して観光に訪れるようになりました。

今では日本といったら、桜、寿司、アニメ、秋葉原、里山など、技術・機械部門に加えて文化面でも様々な日本らしさが知られています。しかし反対に、日本人がＵＡＥ文化やアラブ文化の何を知っているかと問われれば、まだまだ黙ってしまう人の方が多いのではないでしょうか。

ＵＡＥの過去・現在・未来

私の夫が幼少だった１９６０年代後半、ＵＡＥという国はまだ存在せず、アラビア海に点在する小さな村々（首長国）でした。それらは総称してトルーシャル地方と呼ばれていました。「トルーシャル（協定）」とは英国での呼び名で、海賊が横行するアラビア湾で各港とそれぞれ保護協定を結んだために使われた言葉でした。民族はアラブ人で、アラビア語を話し（各地方に方言はあるが）、大多数がイスラーム教スンナ派です。オマーンからクウェートに至るまでのこの湾岸線に居住する人間を総称して、地元の人々はアルハリージ（湾岸の民）と呼んでいます。遊牧民の末裔であるアルハリージにとって、20世紀前半は国境線もなければパスポートも無用、アラビア半島を自由に移動して日々の糧を得ながら生活していました。

英国は18世紀半ばからこの地方を保護下におき、約１５０年間、一貫して〝愚民政策〟で治めてきました。愚民政策とは、ヨーロッパの多くの国が被統治国に対して採っていた統治法で、現地民に教育を与えず、新聞やメディアを一切持ち込まないことで、人権や不平等という概念を教えず、権力に対して抗議運動を起こさせずに、愚民のままに楽に支配していく方法でした。

20世紀前半のトルーシャル地方には、基本的なインフラは何もなく、道路もなければ港湾も飛行場もなく、水道も電気も、学校も病院もありませんでした。１９６０年代にはわずかに小学校（男子）だけが各地にあり、それらは例にもれず、先に発展していたアラブ諸国が、未発達の地域に慈善事業として建てたものでした。当時のＵＡＥでは教師になる人材がいないため、そうした諸国は自国から教師を派遣して、その給与まで払っていたのです。そのおかげで１９６０年代の後半に、私の夫は就学することができました。夫より少し上の世代には教育の機会はなく、親の世代（１９３０年代生まれ）は寺子屋形式のクルアーン学校に通って、ようやく自分の名前が書ける程度。国民のほとんどが文盲でした。

１９５８年、まだ独立国だったアブダビ首長国の地下に原油が発見されます。他の湾岸諸国に大きく遅れを取って、１９６３年から原油の輸出が始まりました。しかし石油の恩恵が全国に行き渡るまでは、まだまだ時間が必要でした。

60年代に英国は経済事情が悪化したため、トルーシャル地方から撤退することになりました。国際的にも植民地問題や人権問題が取り上げられるようになり、次々とアフリカ諸国が独立していく機運を受けて、とうとう１９６８年にアラビア半島から撤退することを表明しました。そうなると大変です。国民のほぼすべてが教育もなく、日々の暮らしを送るだけで精一杯だったトルーシャル地方の人間が、いきなり国際社会に放り出されるのです。それも石油という莫大な地下資源をもちながら。これでは周囲の大国が黙っているわけはありません。そこで行動を起こしたのはアブダビ首長、シェイク・ザーイドでした。シェイク・ザーイドは、トルーシャル地方に散らばる各首長国の元首たちに、協力してひとつの連邦国をつくろうと提案しました。「それぞれが弱小国のままでは、近隣の大国（サウジやイラン）にあっという間に攻め入られ隷属国になってしまう。莫大な石油が埋蔵されていれば尚更だ。ひとつの独立国を建国して国際社会に承認されよう」。

その話に一番に乗ったのがドバイ首長でした。それから3年間、シェイク・ザーイドの命を懸けた説得が功を奏して、6つの首長国が連邦に加盟し（残りの1国は翌年に加入）、1971年12月2日、英国が撤退した翌日に〝アラブ首長国連邦（United Arab Emirates）〟が建国されました。

初代大統領になったのは、アブダビ首長のシェイク・ザーイドです。副大統領（兼首相）はドバイ首長のシェイク・ラーシドでした。それまで地域で最も発展が遅れていたUAEは、建国後に目覚ましい変革を遂げ、石油歳入を使ってインフラ設備、教育、医療、行政を拡充させていきました。シェイク・ザーイドはアブダビの石油歳入を全国に行き渡らせて、海岸線のみならず山岳地帯、砂漠地帯にも、病院、学校、市庁舎、道路、港湾施設、変電施設などを造っていきました。

1960年代生まれの私の夫は、このような激動の時代を生きてきました。砂の上に建つナツメヤシの葉で作られた小屋で生まれ、出来たばかりの小学校に砂漠を歩いて通い、その後に電気や水道が引かれ、町に電燈がつき、道路ができ、コンクリート造りの家が建ち……といった劇的な瞬間を、いくつもいくつも体験しながら成長してきたのです。

21世紀になるとドバイはさらに躍進し、観光立国を目指して、世界一高いビルや世界一大きな

1971年12月２日、独立建国を宣言。旗棒の右二人目が初代大統領のザーイド首長。三人目が初代首相のラーシド首長。
National Archives of the United Arab Emirates, Ministry of Presidential Affairs
© Public Domain
File:Flag-hoisting at the Union Declaration.jpg
Created: 2 December 1971

ショッピングモールを建てました。月からも見えるヤシの木の形をした人工島を海上に造り、世界一高額の競馬を主催し、人工衛星を打ち上げ、中東で初めての万国博覧会を予定（２０２０年開催がコロナの影響で1年延期）しています。今では世界で最も搭乗客の多い空港（ドバイ）を擁し、世界でトップの交易物流量を誇り、年間１６００万人が訪れる観光国家になっています。それだけでなく、世界の世論調査では中東で最も住みやすい国、アラブの若者が最も働きたい国となっています。

湾岸アラブ人

なぜ今までＵＡＥについて書いてきたかというと、この本の副題にある「ムスリムにならう幸福の見つけ方」のムスリムとは、誰を指すかを説明するためです。私は学者でも研究者でもなく、そのような立場で文章を書こうとは思いません。自分の知る限りの人々について、生活者の視点で書いていています。それゆえ、私が指すアラブ人とはどのような人々か、ムスリムとは誰を指すかをはじめに説明します。

本著に出てくるアラブ人とは、アラビア湾岸地方に生きる人々を指します。世間一般にあるように、アラブ人の定義を「アラビア語を話す人」としてしまうと、中東全域や北アフリカ、東アフリカなど広範囲にまたがります。そこには明らかに肌の色や民族が違う人々も含まれます。また地中海地方の人々もアラビア語を話しますが、一神教の発祥地だけあって多数のキリスト教徒、ユダヤ教徒、ゾロアスター教徒、ドルゥース教徒、コプト教徒も住んでいます。ひとからげにアラブ人で括ってしまうと、ムスリムでない人も含まれます。ですから、私が本著で言及するアラブ人とは、「アラビア湾岸地方に住むムスリム」を指すことにします。

アラビア湾岸諸国はGCCと呼ばれます。Gulf Cooperation Council（湾岸協力会議）の略で、「湾」とはアラビア湾 Arabian Sea を指し、この湾岸に国境線をもつ中東6か国（サウジアラビア、クウェート、バーレーン、カタール、オマーン、UAE）が含まれます。* これらの国々は歴史も風土も民族も共通する部分がたくさんあります。方言に違いがあるにせよ、ほぼ全域でアラビア語（湾岸方言）を話し、同じように産油国で、宗教は大多数がイスラームのスンナ派。イラクを湾岸諸国に含まないとする人が多いので、イラクを抜いた6か国を、本著では主に言及することにします。

湾岸諸国の過去・現在・未来

アラビア湾岸諸国（GCC）は、似通った風土と歴史を持っていると書きました。国際的に最も影響力を持つのは、サウジアラビアです。イスラーム発祥の地であり、聖地マッカを擁し、交易の中心地として9世紀から栄えてきました。日本の5倍以上の広大な国土と、世界第2の石油埋蔵量、

＊ イラクを含む7か国を呼ぶ場合もある。

3千万人の人口と、聖地があるため絶えず流入する移民を持っています。近世以来オスマントルコの影響下にありましたが、第1次大戦でオスマントルコが負けると、現国王のサウード家がアラビア半島を統一し、英国から独立承認を勝ち取って（1927年）、1932年にサウジアラビア王国の建国を宣言しました。独立直後に油田が見つかり（1938年）、第2次大戦後に安定した採油活動が始まってからは、部族性の強い地域に中央政権をつくることと、石油の恩恵を全国に行き渡らせることに腐心してきました。国際的な影響力が強いものの、国内での貧富の差は大きく、女性の自由度はまだ他の湾岸諸国にはかないません。2017年に皇太子になったムハンマド・サルマーン氏が、2030年ビジョンという政治の大改革を推進しています。

　近世を通してオスマントルコの宗主権の下に

あったクウェートは、18世紀後半から植民地インドへの中継点として、英国の介入を受けます。19世紀末にはドイツ、ロシアの帝国主義の影響を避けるために英国の保護下に入り（1899年）、1961年に独立を勝ち取りました。1938年に大油田を発見し、第2次大戦後に採油活動が本格化すると、首長サバーハ家は国内発展に尽くします。1990年にイラクの侵攻を受けて、国民の多くが難民となって他の湾岸諸国へ避難しました。米軍を主体とする多国籍軍が湾岸戦争でイラクを駆逐すると（1991年）、やっと国内の安定を取り戻しました。油田の発見が早かったため教育程度も高く、選挙制度を持ち、女性も活躍しています。石油埋蔵量は世界第6位です。

アラビア半島東端にあるオマーンは、地政学上、紀元頃から海洋大国として栄えてきました。8世紀からアフリカ東岸の飛び地（ザンジバールなど）を領土にして繁栄し、海洋帝国を築きます。その後ペルシャやポルトガルの支配下になりましたが、17世紀にポルトガルを駆逐すると、全土を回復します。18世紀は再び海洋交易で栄え、19世紀に貿易衰退とともに国力も弱まると、英国の保護下（1891年）に入ります。1970年カーブースが国王となり英国から独立（1971年）しました。1967年にようやく石油輸出が始まったため、経済的成長は他国に比べて緩やかでしたが、急激な発展がなかった代わりに文化的風習を今でも色濃く残しています。

バーレーンはかつて〝中東の真珠〟と呼ばれた小さな島国です。18世紀にハリーファ家が王制を敷き、ペルシャやオマーンの介入を受けつつ1880年代にイギリスの保護下になりました。湾岸諸国で最も早く1931年に油田が発見され、ちょうどその頃に崩壊した真珠産業と入れ替わるように原油は国家歳入となりました。そのため最も早く発展し、繁栄と安寧を享受しました。20世紀後半はインフラ設備、保健衛生、教育レベルなどが抜きんでていたため、日本企業のみならず、世界企業の多くが駐在事務所を置いていました。１９７１年に英国から独立。国内は70％がイスラームのシーア派に属しますが、首長家はスンナ派です。

カタールは、隣接するバーレーンやアブダビと常に領有権を争いながら、１９１６年に英国の保護下になります。英国が湾岸諸国からの撤退を決定した時（１９６８年）、ＵＡＥの連邦国家のひとつとなるように誘われますが、バーレーン同様、独立国家を宣言しました（１９７１年）。１９４０年代に石油が発見され、膨大な天然ガスとともに経済を支えています。国土が狭く人口も少ないので一人当たりのＧＤＰ（国内総生産）は世界2位となっていますが、２０１７年以来、ムスリム同胞団やイランとの接近で、一部のイスラーム諸国から国交を断絶されていました。*

オスマン帝国の首都バグダッドを擁していたイラクは、歴史的に国力はサウジをしのぐ大国でしたが、１９９０年にクウェートに軍事侵攻し、翌年の湾岸戦争で世界の袋叩きにあいました。敗退後もサダム・フセインの独裁政治は続き、世紀が変わると米軍の侵略・占領を受けて（２００３年）、大量に難民を排出する国家となってしまいました。世界第5位という膨大な石油埋蔵量がありながら、いまや安寧や安全からは程遠い国になっています。またイラクはアラビア湾にわずか数キロの海岸線を持つだけなので、ＧＣＣに含まないと考える人もいます（スポーツの祭典、湾岸諸国大会 Gulf Cup には参加国となっている）。

ここまで書けばわかるように、ＵＡＥと他の湾岸地域はほぼ同じような歴史、民族、文化、風土をもち、似通った国家体制、経済状況、国民性の中に暮らしています。わずか１００年前までは大国の植民地政策や帝国主義に苦しめられ、砂漠の厳しい気候の下、これといった産業もなく貧しい状態にありました。遊牧民を祖先に持ち、陸と海を移動しながら糧を求めて生活していました。90年〜60年前に天然資源を発見し急激に豊かになったものの、現在でもその資源をめぐって再び大国の影響下にあり、そこから抜け出すために自国民を育てようと必死になっています。欧米などが軽蔑とやっかみを含んで「大金持ちの贅沢三昧で怠惰な中東人」とレッテルを貼るような生活になったのは、ほんの一、二世代前でしかありません。本著を読む時には、常にそのことを忘れないで下さい。直近50年のアラブ人について言及しているわけではなく、石油がなく貧しかった時代でも、灼熱の気候にさらされ電気や水道がなかった時代でも、人々は同じ教義に従い、同じ姿勢で生きていました。そうした人々・社会にならうことがあると書いています。

＊ ２０２１年1月に国交回復

ムスリムとは

ムスリムとは、イスラームの教えに帰依して生きている世界中のイスラーム教徒を指します。中東がイスラーム発祥の地ではありますが、ムスリムが最も多いわけではありません。世界で最大のムスリム国家は東南アジアにあるインドネシアで、約2億3千万人います。それから人口増加が著しいパキスタン、インド、バングラディッシュと続きます。インドではムスリムは人口全体の11％しかいないのに、1億9千5百万人です。それらの国に続き、ナイジェリア、エジプト、イラン、トルコを加えた8か国だけで、世界のムスリム人口の半数を超えてしまいます。同じ人口統計をみると、湾岸諸国のうち最初に出てくるのがサウジアラビアです。巡礼地マッカを擁しイスラームの盟主を誇るサウジでさえ、ムスリム人口は3千万人で、イスラーム世界全体でわずか1・6％を占めるに過ぎないのでした。

本著で「ムスリムは」という主語を使うと、日本に近い東南アジアや西アジアのムスリムについて書いてあるように思われがちです。しかし、あくまで私が言及しているのは中東湾岸地方のムスリムであることを覚えていてください。

イスラームの教えはひとつです。世界のそれぞれの地域で違う内容の教義があるわけではありません。しかし風土や言語や民族が違えば、それぞれの気候や習慣や土着文化に根差した生活をしている人間社会は変わってきます。湾岸アラブの厳しい砂漠気候と、インドネシアの湿潤な気候が生活に及ぼす影響は全然違うし、ヨーロッパに住むムスリム（イギリス400万人、ドイツ400万人、フランス500万人以上）も随分違う生活をしています。つまり、ムスリム人口の半数以上はアラブとはずいぶん違う風土、気候、社会風習、文化の中に生きています。そうした要素が人々の行為や言動に与える影響は大きいため、私の書くことが必ずしも当てはまるとは限りません。また、当てはまるかを調査すれば多くの時間を割かねばならず、割いたところで〝彼らは〟、〝ムスリムは〟という呼称でひと括りにできるわけでもありません。混乱と矛盾を避けるために、本著に出てくる〝アラブ人〟とは湾岸地方に住む人々で、〝ムスリム〟とは湾岸アラブ人ムスリムを指す、と定義したいと思います。*

＊ 注意が必要なのは、GCC諸国と国境を接しているイランです。アラビア湾の北半分を領地に持つイランは、同じ海をペルシャ湾 Persian Sea と呼び、GCCに含まれません。イランの国教はイスラームでもシーア派です。湾岸諸国のイスラームはほぼスンナ派です。人類史上、紀元前5世紀から7世紀まで強大なペルシャ帝国を誇ったイランは、偉大なプライドをもって、民族的にも歴史的にも宗教的にも、自分たちペルシャ人をアラブ人とはっきり分けています。本著に出てくるムスリムには、〝ペルシャ人のムスリム〟は含まれないとご理解ください。

砂漠の砂ガメ
オスマン帝国のスルターンはペットとして寵愛した。

第2章 イスラームの教えとは

知れば知るほど合理的

皆さんがイスラームに対して持つ印象はどのようなものでしょうか。1日に5回の礼拝を義務とし、女性は髪や肌を出すことを禁じられ、豚肉やアルコールを摂らず、年に1か月間も断食しなければならない、窮屈で規則ずくめの宗教と考えていませんか。

しかしそれはイスラームの本質を伝えるものではありません。それだけ聞いても、教義の中核となる神はどのような存在で、人類に何を教え、どう導こうとしているのかはまったくわかりません。現在送っている生活との違いだけに言及し、自由を限定される部分ばかり強調しては、日本古来の宗教と比較することもできません。今の日本人は宗教を生活の中に取り入れることをあまりせず、せいぜい夕食前に仏壇や神棚に水を供えたり、年末年始に神社にお参りするくらいではないでしょうか。仏教や神道にはどんな救いがあり、そのために人間をどう導いているかなど知る由もないほど、戦後、宗教は日常から追いやられてしまいました。

しかしイスラームでは、毎日の行動が宗教と深く関わっています。それは六信五行と呼ばれる信条・行動規範が、日常生活に密接に関わるからです。また、ハラーム（人間生活に許されない行為）、ハラール（許される行為）など多くの規則が、日常生活の具体的な指南となっているからです。

イスラームの啓典であるクルアーンは、西暦６１０年から６３２年までのわずか23年間に、預言者ムハンマドを通して、神から人間に下された言葉を書き留めたものです。啓示された言葉は１４００年経った現在でも、意味不明なものも含めて、一字一句変えてはいけないことになっています。人間社会の発展と共に、それぞれの社会や時代の都合のいいように省いたり歪曲できないのです。前身宗教であるキリスト教には『福音書』という啓典があります。福音書は２０００年の歴史を経る間に、施政者・宗教者の都合のいいように編纂され、付け加えられてきました。それらの預言が神の意図から遥かに離れてしまったので、クルアーンは最初から一切の変更はできないと神の指示があります。他宗教が宗教革命を経て近代科学（と共にその利便性）を受け入れ、次第に省いてきた宗教的行為（断食の習慣やベール着用）を、それゆえイスラームは21世紀の現代になっても踏襲しているのです。

疑問を挟まず、ただ従う

〝イスラーム〟を訳すと「絶対服従」「帰依」という意味です。ひと言で言えば、アッラーとその教えに従って生きること。狭義の宗教面にとどまらず、社会生活全体をイスラームが律することです。ダブルスタンダードの生き方を許さない――と書いたら非常に厳しい戒律のように聞こえますが、実際は単純です。絶対服従とは、「神なんか存在せず、世界を創り上げているのは科学と技術とそれを解明してきた人間である」と錯覚しないこと。神の摂理に疑念を抱いて従わなかったり、懐疑を持たないことです。なぜならイスラームの教義は、「もしかして神はいないかも」とか、「神の言葉なんて実際は人間があとから作ったのかも」と疑問を抱いたら、何ひとつ正しく遂行できないからです。〝根本に神の摂理を疑う精神をもたない〟というのが絶対服従の意味です。

イスラームは別に、女の子を好きになっちゃいけない、歌や踊りを愛しちゃいけないと教えるわけではありません。断食しなかったら天罰が下るとも言わないし、豚肉を食べたら牢屋行きなんて無茶も言わない。人間が弱い生物であることを重々承知し、出来ることしか教えません。

世界には様々な人間がいます。自我を捨てられない人、疑り深い人はたくさんいるし、完璧に生きることは誰にとっても難しい。しかし「神様がいるのはわかるけれど、自分の運命を握っているわけじゃない」と考えたり、「他人が見ていなければ、悪事だって善行だって誰にもわかりゃしない」、「科学だけが未来を予測できる」などと考えている人間は、そもそも次に説明するイスラームの教えを果たすことができません。20世紀の資本主義の時代は、人間の自由を獲得することが優先されました。それを後押ししたのが科学技術の発展と産業化です。進化する人間社会に都合のいいように教義を変化させていけば、本来宗教の持つ救済思想や人間の善良性が歪められてしまいます。イスラームにはそれがないのです。

イスラームが人類に伝えられたのは西暦7世紀（西暦610年）の頃です。聖徳太子の時代の十七条憲法が現代の政情に合わないのと同様に、そんな古い教えが現代社会に合うわけがない、字面だけの空虚な教えだ、と想像してはいけません。世界の16億人が、今でもイスラームの教義と行為をずっと保ち続けているとしたら、さぞかし柔軟で普遍的な教えなのだと思いませんか。

16億人とは世界人口の4分の1です。地球をひとつの大きな教室としたら、自分の両隣に座る人間はムスリムでないかもしれませんが、その隣に座る人間は確実にムスリムです。イスラームはそれほど身近にある宗教なのです。米国機関ピュー・リサーチセンターの調査によると、20世紀半ばの1950年、ムスリムは世界人口の17％に過ぎませんでした。その後に世界の約4分の1、23・2％となり（2010年）、2050年には30％まで増加して、現在の16億人から28億人まで膨らむと予測されています。

絶対服従したら、もう人生ががんじがらめになって自由な生活が送れない！　と悪い予想をしてはいけません。現代の16億人がそんな生活を希望していると思いますか？　多くの人は自由闊達に、しかし教義を守って気楽に生活しています。世界では20世紀半ばから宗教復興の波が起き、ムスリムの自覚を持つ人々が世界的に増えたと認識されています。エジプトではミニスカートをはいていた女性が裾の長いトゥーブを着始め、欧州の影響をたっぷり受けてきたトルコやレバノンでもスカーフを着ける女性が増えました。そんな窮屈な宗教だとしたら、若い女性が自らの意志で姿形を変えていくはずがありません。なぜ法律上も個人の自由を尊重されている現代社会で、わざわざ宗教に回帰していく女性がいるのでしょうか。それは本著の第3章に詳しく書かれています。

アッラーの御許でもっとも尊い者は、もっとも神を恐れる（敬いかしこまる）者である。（クルアーン部屋章13節）

イスラームの六信（信仰上、存在を信じる義務のあるもの）

私が30年近くアラブに住んで最も強く感じるのは、イスラームの教えが大変「合理的」であることです。人間の弱さ、社会の脆弱さを知り尽くし、人間同士の関係が破綻しないよう、個人の精神生活が崩壊しないよう、さまざまな（神の）工夫があります。それを順に紹介していきます。

イスラームの思想、世界観、基本概念となる6つのことを「六信」と呼びます。ムスリムの宇宙観、世界観を理解するためには、その1つが欠けても成り立ちません。それらをしっかりと信じ、その存在によって宇宙の成り立ち、世界の森羅万象を理解するものです。

1　唯一の絶対神アッラー（この世界を創り、宇宙、時空をすべて支配している存在）
2　天使（神の意志を人間に伝える役を担う）
3　啓典（クルアーンだけではなく、神がそのつど人類に伝えてきた預言、モーゼの律法、ダビデの詩編、イエスの福音書なども含まれる）
4　預言者（神の意志を人間に伝えるために遣わされた人々）
5　終末の日（この世界が終わり来世がくる前に、天国へ行くか地獄へ堕ちるかが審判される日）
6　定命（すべての運命は神によって定められていること）

ただ列挙しても把握できないかもしれませんね。理解を助けるために、短いストーリーを作ってみました。

この宇宙は「**唯一の絶対神アッラー**」が創られた。神は超越した存在であり、人間のような姿形をしているわけでも、人間のように生まれ成長し、死んでいくものでもない。人間の話す言語をつかって、意思疎通する存在でもない。物質、空間、過去、未来、形而上学世界もすべてを超越している存在である。

アッラーは自由意志をもつ人間をこの世界に創った時、**神の意思**（人間が進むべき道の示唆）を人類に伝える必要があった。神は人間と交信する〝声〟を持たないので、「**天使**」を派遣し、その任を預けた。天使とは精霊のことで、光から創られ、姿形を自在に変化することができ、人間の言語と声を使って、人間と神を仲介する存在である。

天使は、神に選ばれた「**預言者**」に、神の言葉を託した。人類の歴史には様々な預言者がいて、聖書に出てくるアブラハムやモーゼ、イエス・キリストやノアなどもそうである。しかし全員が生身の人間で〝神の子ども〟ではない。神の預言を封印する最後の使者が**ムハンマド**で、神はムハンマド以後は預言者を送らないとしている。

ムハンマドの言葉（アラビア語）を通して神の意志が伝えられ、書き留められたのが「**啓典クルアーン**」である。それ以前にも、神はそれぞれの預言者に啓典を授けてきたが、人間の改竄《かいざん》を受けていないのはクルアーンだけである。クルアーンは**神の言葉**そのもので、意味不明な言葉も含めて、未来永劫、一字一句、変えることは許されない（以前、アラブの旅行者はクルアーンを持って国境を越えることができなかった。旅行者の持つクルアーンが正規のものと一字一句合致しているかを確認しなければならなかったからである）。

現世にはいつか終わりがきて**来世**が現れる。そのとき神による「**審判の日**」を迎えることになる。審判とは、来世にどちらの世界へ行くかを決める裁判のことである。現世で善行を行った者は**天国**へ、悪行を続けた者は**地獄**へ堕ちる。天国へ行くために、人間は神の定めた規範を守って正しく生きるように導かれる。それぞれの人間の両肩には生まれた時からふたつの天使が乗っており、右肩の天使は善行を書き記し、左肩の天使は悪行を書き留める。神はその記録を精査し、チリひとつの間違いもなく善悪を見抜き、来世の行き先を一瞬で決定する。天国は、食物や水や楽しいことの溢れる想像もできないほど素晴らしい楽園で、苦しみも悲しみもない。地獄は絶え間ない辛苦と恐怖が襲う悲惨な場所である。

神は世界のすべての「**運命**」を計画され、その決定権を持っている。世界の事象には成り行きや偶然などは有り得ず、すべて神の緻密な計画によって、**天の予定表**に書き込まれている。どの人間の運命も予め定められており、神が理由なく采配することはなく、人間は必ずこの世における役割と仕事を与えられて生を受ける。神のつくった運命に逆らうことは出来ず、できるのは、それぞれが与えられた運命の中で誠意努力して生きることである。

以上が、イスラームの六信がつくる世界観です。

じつにあなたがたの主であるアッラーは、6日間で天と地とを創ったお方であり、その後、玉座に座っておられる。神は昼の上に夜をかぶせ、夜に急いで昼を引き継がせ、太陽と月と星をその命令に従わせる。アッラーこそは創造と統御の主であり、万有の主。神に祝福あれ。
（クルアーン高壁章54節）

アッラーはあなた方のために、大空を天蓋となし、大地を臥所《ふしど》とし、天から雨を降らせ、それによって種々の果物をあなた方の糧として実らせるお方である。（クルアーン雄牛章22節）

世界の理解の仕方

これをすんなりと理解するのは、日本人にとって難しいかもしれません。なにしろ一般の日本人はこのような世界観で育っていませんから。しかし繰り返し読めば、文脈的には「世界の成り立ち」のストーリーは理解できるはずです。世界のムスリムは宇宙観や世界観をこのように認識していると知ってください。

一方、日本人の理解する世界観が、16億人のムスリム（に加えて少数のクリスチャン）にとって驚くような、理解しがたい世界である例もあります。たとえば、小中学校の歴史教科書の最初には、〝猿人〟や〝原人〟の描写があり、人類の祖であると教わります。しかしムスリムがそれを見たら仰天し、畏れ慄くでしょう。「あなたの国ではこんなことを教えているのか。人はこれを真実だと思うのか？」、「仮説をまるで真実のように公共教育機関で教えるなんて！」と学校関係者に嫌な顔をされたこともあります。イスラームでは、最初に神から生を受けた人間はアーダムとハワー（イブ）です。姿形は今の人類とまったく同じ。神は人間を猿から進化させたのではなく、最初から人間として創り、猿は最初から猿として創りました。

また日本では当然の生物学的知識として「進化論」を教えますが、世界中のイスラーム国家では否定されています。日本の学生が進化論を既成事実のように話せば、ムスリム学生たちはのけぞる程驚きます。実際にインターネット上では、世界中から集まった、進化論を科学的に否定する長大な論文を何十編も見つけることができます。

世界の認識はこれほど違うと、日本人もそろそろ知っていいのではないでしょうか。日本の教育は世界のグローバル基準に則っているから他の世界の方がおかしいのだ、と主張するかもしれません。しかし日本人は世界人口の2％、たかが1億2千万人です。ムスリムは世界に25％、同様の宗教的基盤を持つクリスチャンは30％、これだけで世界人口の50％を超えています。キリスト教は中世から長い時間をかけて科学と宗教が分裂してきたので、多くのクリスチャンは科学的根拠を宗教とは別に考えています。しかし世界観や死生観は、いまでも人々の日常に溶け込んでいます。日本人が当然と思っている常識は、世界では通用しない場合も往々にあるのですから、「そんなのインチキだ」と頭から否定せずに、もう少し先を読み進めてください。

信仰する者よ、神を畏れなさい。彼は一人の者（アーダム）からあなた方を創り、またその者から配偶者を創り、両人から無数の男女を増やし広められた方である。（クルアーン婦人章1節）

神は泥からあなた方を創り、ついで（生存の）期間を決められた方である。（クルアーン家畜章2節）

イスラームの五行（信仰上でその行為を行う義務のあるもの）

イスラームには人間生活を律していくために定められた5つの行があります。これはムスリムが生活・人生・社会の中で行うべき行為です。毎日やるべきものもあるし、年に一回、一生に一回というのもあります。以下に挙げますが、順を間違えずに覚えてください。最も大事なものから並んでいるので、ここでは内容と共に順についても考察します。

1　信仰告白
2　礼拝
3　喜捨
4　断食
5　マッカ巡礼

「信仰告白《シャハーダ》」とはいったい何でしょう。文字通り、〝自分はムスリムである〟と宣言することです。モスクや宗教施設に行き、ムスリム成人男性2人（証人）の前で「アッラーの他に神はなく、ムハンマドはアッラーの使徒なり」とアラビア語で唱えます。それだけでイスラームに入信することができます。

いかにも簡単でしょう。そんなに簡単なら告白しなくても心の中で自覚すればいい、と思うかもしれません。しかし公に宣言することに意味があります。ムスリムになると、生活の上で大きな心理的、物理的変化を迎えます。日本人だったらトンカツやラーメンが食べられなくなるし、酒も飲めなくなる、女性に礼儀正しくなるし、人前で裸踊りをするなんて真似は出来なくなる（他人の前で裸になるのは禁止）わけですが、その心構え・覚悟を当人に確認する作業です。

中東研究者や中東に長期滞在する日本人のうち、「自分は半分はムスリムだ」という人が時々います。ムスリムの友人がたくさんいて、断食もする、喜捨もする、礼拝もできる、しかし絶対服従とまではいかない、だから半分なのだと。しかし前述したように、イスラームにダブルスタンダードはありません。神の教えにすっかり服従し、疑わず、世界観をイスラームに変え、教義を守って生きることは、生半可な気持ちではできないからです。信仰告白は自らの意思で神への帰依を誓う覚悟の表明です。まずここを通過しないと、他の行はいくらやっても意味がありません。

礼拝――衛生活動、時間配分について

世界のムスリムは、1日に5回の「礼拝《サラー》」を行うよう義務付けられています。前述のピュー・リサーチセンターの調査では、実際に約63％のムスリムが日に5回の礼拝をしているそうです。実践率はともかく、行為自体を考えてみましょう。礼拝を衛生活動、身体運動、時間配分、平等性という4つの側面から考えると、その合理性は際立っています。

まずは衛生活動。礼拝には「ウドゥ」という浄化行為が伴います。祈りの前に身体の各部分を丁寧に洗い浄め、神の前に出る時は清潔であることです。まずは両手を洗い、口をすすぎ、鼻に水を入れて吹き出します。それから顔、右腕、左腕を肘まで洗います。次は頭、うなじ、耳と続きます。右足と左足も踝《くるぶし》まで順に洗います。身体の部分と洗う順番はクルアーンにあり、変更することはできません。浄化行為は祈りの前の精神統一でもあります。ウドゥの伴わない礼拝は、礼拝をした

とは認められません。水が近くにない場合は、きれいな砂や土だけでも身を清めることが許されます。

考えてみてください。水道も下水もない7世紀に、世界でどれだけの人間がきれいな水へのアクセスがあったでしょうか。その時代に「どんな人間でも水を使う権利がある」と神が伝えたことは、人道的には非常に重要で画期的です。日本は水大国で年間通して雨が降り、川には水が溢れています。しかし今でも中東には雨は降りませんし、砂漠に川など存在しません。14世紀もの間、礼拝行為がどれだけ人間を衛生的に保っていたでしょう。1日に5回というのも驚きの間隔です。あれだけ風呂文化が発達した江戸時代の日本でさえ、1日に5回も身体を洗う贅沢を持ち合わせませんでした。

1日に5回ある礼拝のうち、1回目の礼拝はファジュルと呼ばれ、日の出の約1時間前に始まります（太陽との位置関係によって世界各地で違う）。難しい時間帯のように感じますが、世界で電灯が使われ始めたのは19世紀後半、一般庶民が使い始めたのはわずか100年前です。それまでは世界中の人間が夜明けと共に起きて仕事を始めていました。ファジュルの祈りは仕事前の精神統一の時間だったのです。

2回目の礼拝ズフルは昼の12時半頃にあります。ここでいったん仕事を止め、礼拝後に昼食へ導きます。中東のような自然の厳しい地域では、仕事はほぼ午前中に限られていましたから、これが実質的な仕事納めの合図でした。3回目がアスルの礼拝で、物の影が本体の長さと同じになった時

(午後3時から4時ごろ) です。4回目マグレブは、日没直後に行います。5回目イシャーは日没の残照が空から完全に消えた頃に行います。

こう書くとわかるように、礼拝の時刻は太陽の運行に合わせてあり、各地域で多少のズレがあります。礼拝時間は厳しく限定されておらず、次のお祈り時間までにやればよく、忙しければふたつの礼拝を一度に省略して行うことも可能です。時計のない時代、礼拝時間は人間の行動を決める非常にタイムリーな区切りでした。祈りで起床し、祈りで休憩し、祈りで帰宅し、祈りで夕食を摂り、祈りの後に就寝するのですから。太陽信仰につながらないように、太陽と影が基準でありながら僅かにズレた時間にしてあるのもおもしろい。太陽は誰にとっても平等な時間を提示しますから、人間にも自然にも無理を強いずに生きる区切りとなっていました。

イスラームを国教とする国家は、今でも礼拝時間を1日の指針としています。仕事も学校も概ね礼拝を基準にしており、早朝7時に始まり、12時半には礼拝のために休憩し、アスル礼拝の前に帰宅します。身体を休め、人を訪ね合うのはマグレブ礼拝の後。そして最後の礼拝後は就寝します。金曜日は休息日で、家族と一緒に過ごす日として予定は入れません。また金曜日は近所の人と誘い合って合同礼拝に向かい、安否を尋ね合ったり交流します。礼拝によって仕事、休息、就寝、人と会う、家族と過ごす時間が分けられていて、人間らしい生涯を送るよう調節されているのです。

礼拝——身体運動について

礼拝の所作は、真っすぐに立つ。両手を耳まであげる。両腕を前で組む。膝に手を当てて90度上半身を傾ける。上半身を起こす。両手・膝・つま先・額を地面につけてひれ伏す。正座する。再びひれ伏す。両手をついて起き上がる——という行為（ラクア）を繰り返します。大きい場所を必要としない軽い身体運動で、日本でいうラジオ体操より楽でしょうか。それぞれの礼拝は、ラクアを決められた回数だけ繰り返します。所要時間は15分もあれば終わります。

それまで腰をかがめて農作業をしていた人も、ラクダに乗りっぱなしでいた人も、狩猟のため歩き回っていた人も、商売で客と交渉していた人も、全員がいったん仕事の手を止めて、ウドゥと礼拝を行います。現在でいえば、パソコンに向かって座り続けている人も、会議で意見を言い合っていた人も、手を振り上げて株の売買をやっていた人も、いったん中止し祈りの時間とするのです。

それを無駄な時間と考えるか、それとも人間への恩恵と考えるか、個人の価値観はそれぞれです。現実には、礼拝をすると心と気が晴れるし身体もほぐれます。礼拝は時間と所作と誦句が決まっているので、迷うことも戸惑うこともありません。手軽な気持ちの切り替え、精神統一の機会といえます。特に悩みや苦しみを抱えている時には、いったん行動を止めて神と真っすぐに向き合い、心をクリアにすることは大切です。ムスリムは礼拝のおかげで肉体的にも精神的にも、清潔に健康に保たれてきたのでした。

礼拝——精神活動について

祈りは心に平安と平静を授けてくれます。1日に5回、感謝と謙遜の気持ちを表明し、神への服従を意識し、欲望から心を解き放ち、激情を静め、煩悩を抑制する気持ちに立ち戻してくれます。それは生きる上で大変重要です。

礼拝の章句は世界のどの場所でもアラビア語でなければならず、訳せばこのようなものです。

慈悲あまねく慈愛深きアッラーの御名において。万有の主アッラーに称賛あれ。慈悲あまねく慈愛深きお方、最後の審判の主宰者に。私たちはあなたにのみ崇め仕え、あなたにのみ助けを請います。私たちを正しい道にお導き下さい。あなたが御恵みを与えられた人々の道に。あなたの怒りを受けた者や、踏み迷える者たちの道ではなく。（クルアーン開端章1～7節）

そのお方がアッラー、唯一なる神。アッラーは永遠であり絶対者です。何もお産みにならないし、誰からお生まれになったのでもない。一人としてそのお方に並ぶものはないのです。

アッラーよ、私をゆるし、慈悲をたまい、導き、ささえ、癒し、糧を恵み、高めてください。あなたがたに平安とアッラーのお恵みがありますように。

ここに誦句を書いたのは、別に皆さんに覚えて欲しいわけではなく、ムスリムが立ったり座ったりして祈る時、「へぇ、こんな風に神様に話しかけているんだ」と紹介するためです。棒読みのセリフみたいに聞こえるかもしれませんが、アラビア語では韻を踏み、とても美しいリズムになっています（機会があれば、クルアーン朗誦をぜひ聴いてみてください。今は図書館でもYouTubeでも簡単に見つけることができます）。章句では自分の境遇に感謝し、慈悲を請い、正しい道に導くように願う言葉が延々と続きます。読むほどに心をクリアにしてくれるのは、耳に心地よいレトリックだからです。個人的な祈願を入れないので考えたり迷ったりせず、神を崇める難しい言葉を捻りだす必要もありません。

人生に行き詰まった時、袋小路に入り込んだ時、激情が嵐のように抑えられない時、章句を繰り返し唱えることで理性は戻ってきます。運命を受け入れ、慈悲を期待し、苦しい状況からいっとき自分を解き放ってくれます。結局、誰にとっても自力でできるのは祈り、感謝することだけ。あとの運命は神が用意し、それに身を委ねる安らぎをもたらしてくれます。

礼拝——平等精神について

イスラームでは信者と神が直接つながっています。その間を埋める聖職者や僧侶などがいません。例えばキリスト教徒がもつピラミッド型の機構——聖職者、神父、司教、その頂点に立つ教皇のような組織もなく、仏教の檀家制度、神道の氏子制度のようなものもありません。祭祀を司る役職もなく、祭祀に必要な物品（聖杯や鐘や木魚など）も場所（聖堂や祭壇）もありません。イスラームでは信仰にお金はかからず、誰でもどこでも神とつながることができます。

中世から続くキリスト教聖職者の汚職や犯罪は、今になってようやく告発されてきましたが、それでも宗教組織は法の及ばぬ領域のままです。また他宗教には、家を捨て世俗を離れて逃げ込める出家制度があります、しかしイスラームでは出家は許されず、人生を通して家族と過ごし、コミュニティ（ウンマ）を助け、人とつながりながら生きることが義務とされています。ウンマとは、世界中にあるムスリムのコミュニティの総称です。近隣はもちろん、遠い世界のウンマとつながることは、信仰を持つ者にとって大きな喜びであり力となります。

礼拝するときは、前から順番に詰めて横に並びます。そこには老いも若きも、富者も貧者も、出自も年齢も国籍も、何ら関係ありません、社長の隣に警備員が並んでも、極端な話その隣に国王がいても、全く不思議ではありません。それは財産や家名に関わらず、民族や外観に関わらず、神の前では誰もが平等で、早く来た順に前から並ぶことになっているからです。身体を寄せるので普通

は男女で祈禱所が分かれています。神の命令だから「お前は貧乏だから隣に寄るな」とか、「部下なんだから後列に行け」ということもありません。つい今しがたまで部下の失敗を怒鳴っていた上司も、怒られていた部下も、礼拝の時間にはぴったりと並んで祈ります。個人的な立場や感情や状況を反映することなく、祈りの手順は決められているのです。そういう意味では非常に潔いと言えます。

また礼拝は出来るだけ多くの人間に声をかけて、一緒に祈るのが推奨されています。個人礼拝よりも集団礼拝の方が25倍も価値があるとされ、近所や友人や家族に「一緒に祈ろう」と声を掛けるのも徳を積むことになります。引きこもっている人や一人ぼっちの人を必ず誘うというコミュニティの動きが常にあり、それは神への奉仕でもあります。家に籠りがちな人も金曜日は家を出て礼拝に行きます。神に挨拶するためです。
一人ひとりの人間が神とつながり、コミュニティとつながり、人間らしい生涯を送るために、礼拝は欠かせないものです。礼拝を忘れれば、日々の糧への感謝をあっという間に忘れてしまいます。神が世界に与えてくれた自然の恵みや関係の有難みを、あたかも自分だけで創り上げたように錯覚してしまいます。日に何度も一列に並ぶことで、すべての人間は神の前に平等であることを思い出します。また祈禱のおかげで毎日清潔に保つ権利を保障されています。それゆえに礼拝は教義の第2番目にあるのです。

神は行いとして表されない信仰をお認めにならない。しかも信仰に適う行いでなければ、神はその行いをお認めにならない。（ムスリムのハディース）

神はあなたたちの身体や外見ではなく、心と行いをご覧になる。（バイハキーのハディース）

喜捨は、富の公正な循環を促す

五行のうち3番目は「喜捨《ザカート》」です。喜捨は喜んで捨てると書く通り、富者が貧者に財産の一部をまわすことで、貧者を援け、自分の財産を浄化していく仕組みです。ムスリムは世界の万物はすべて神のものと考えています。宇宙も地球も、自然も大地も、肉体も精神も、生も死も、すべて神が創造しました。自分が与えられたもの（家族、環境、健康など）、自分が努力をして稼いだもの（財産、資格、栄光、チャンスなど）も、すべて神が自分の人生に許してくれたと考えます。これがまず基本です。

その一部を（それらを与えてくれた）神の権利として、感謝とともに差し戻す行為が喜捨です。余剰財産の40分の1（2・5％）を、1年に1度払います。余剰財産とは、全財産から自分の家族を養うための額を引いた数字です。毎月40万円稼いでも、全額を使ってしまうなら払う義務はありません。ある月に100万円稼いでも翌月に10万円だけ稼ぐなら、1年間の最後に余剰が出るまで気にする必要はありません。もしあなたが1年経っても100万円を切り崩さないでいられたら、そこから2万5000円を喜捨します。率は額が大小でも同じで、1000万円なら25万円、10万円なら2500円です。あまり無理に感じないでしょう。現金だけでなく土地、持ち家、証券、金銀ジュエリーなども含まれ、全体の評価額から2・5％を概算します。商品が収入である人は、年商の2・5％分を喜捨します。

農産物の収入に対しては、天水・自然流水の収穫物なら10％を、灌漑施設を使った収穫物なら5％を喜捨します。先行投資してあるかどうかで、率が変わるわけですね。

家畜を育てる人であれば数値は変わります。1年間ずっと牛30頭を飼い続けられたなら、1頭を喜捨します。「成長した1歳牛」を喜捨するように規定があるのは、仔牛を喜捨してもすぐに死んでしまう場合があるからです。喜捨は価値のあるものでなければなりません。羊か山羊が40頭いれば、1頭を喜捨します。ラクダは5頭いれば、羊を1頭を喜捨し、26頭以上いれば1歳過ぎの雌のラクダを1頭喜捨します。自然に増やしていける率だというのがわかりますね。その規定は非常に細かくて面白い。こんなに細かい計算を西暦630年頃にしていたなんて、随分しっかりした経済観念や数学が発達していたものです。

喜捨も、祈りと同様に自己申告です。正しい喜捨額を納めなくても、毎年払わなくても、法的には誰も責めません。あなたの左肩に乗る天使が記録し、審判の日に神があなたを裁くだけです。

喜捨は富者→貧者といった一方通行のお金の流れに見えますが、それによって救われるのは、貧者だけではありません。金持ちにも同じように安寧の心をもたらします。イスラームでは、金持ちに生まれるか貧乏に生まれるかは神の選択です。人間は独りで生きるのでも財産だけで生きるのでもありません。同じ地球に生きながら、自分が貧者を踏みしめてその上に生きている状況に満足してはいけません。お金を貯めこんで豪奢な生活をし、周りの誰からも顧みられなくなったら、富者にも幸福は訪れません。余剰の中から常に貧者にお金を回し、彼らにも生きる権利とチャンスを与えていかなければならないのです。

日本人なら「自己申告なんだから、喜捨を払わないムスリムがいても当然だろう」と思うでしょう。前述したピュー・リサーチセンターの調査によると、77%のムスリムが実際に喜捨を払っているとの結果が出ています。その理由は簡単です。神は、感謝を忘れた者にはあっという間に立場を入れ替えてしまうからです。

もし汝らが感謝するならば、汝らにはもっと多くを授けるであろう。だがもし我が恩恵を忘れるならば、懲罰は本当に厳しくなる。（クルアーン　イブラヒーム章7節）

2020年は新型コロナウイルスによる経済活動の突然の停止で、世界中でたくさんの人が先の見えない苦しい状況に陥りました。極端な富を持つ人口は減らず、持たざる人口ばかりが爆発的に増えています。ムスリムは、神が人間を試すやり方は病気や貧困だけでないと知っています。ある者は戦争や社会の崩壊で試されます（イラクやシリアなど）。あるものは金持ちになることで試されます（産油国など）。与えられた富をどのように使うか、利己的で欲張りになるか、貧者に手を差し伸べず自分の幸福だけ続くよう願うか、同じ集合体にいる貧者に対して責任ある行動ができるか……。多くの人々は神の怒りを畏れ、自己申告でも喜捨を忘れないのです。

あなたたちが一番大事にしているものを、（アッラーの御心に沿ったやり方で）使わない限り、けっして正義に到達することは出来ない。（クルアーン　イムラーン家章92節）

外の姿は断食、内の姿は内省、そしてリセット

イスラーム世界の公式の暦はヒジュラ暦と呼ばれ、西暦622年7月6日を元年元日としています。月の満ち欠けを基礎にした太陰暦で、ひと月が29日あるいは30日間になります。そのうちの9番目の月がラマダーン、「断食《サウム》」の月です。その月の生活はこのように変わります。

日の出前に「もう食事は終わり」という合図が町中に響き、その時から日没まで、煩悩を断ち切った状態になります。具体的には、飲食、娯楽、性交の禁止、嗜好品もとりません。タバコも吸えないし、ワイフを抱きしめてもダメ。身体的に断食を出来ない人（幼児、慢性的な病人、老人など）は免除されます。職場や学校は短縮時間（5時間勤務）となり、早い時間に家に戻って身体を休めます。日没の礼拝時間がくると、飲食を許されます。普通は家族や親族で集まって、大勢で夕食を摂ります。この食事をイフタールと呼び、英語のブレックファーストBreak（破る）fast（断食）と同様、アラビア語では〝開ける〟という意味になります。

その後は翌朝の合図まで、飲食も含め制約がなくなります。合図前にもう一度スフール（閉める）と呼ばれる食事をとり、翌日の断食に備えます。食べないからと言って普段の生活がないわけではなく、仕事や学校はもちろん、買い物や食事の支度はあるし、客は来るし、夜にはタラウィーフの礼拝（ラマダーン期間中行われる礼拝で自由参加）があります。空きっ腹を抱えて寝て暮らしているわけではありません。これが物理的な変化です。

ラマダーンの真の目的はずっと深い精神的な部分にあります。最も大切なのは欲望・感情をコントロールする訓練です。腹が減るのを言い訳に暴力的になれば、その日の断食が無効になってしまいます。喧嘩をしたり大声で人に怒鳴っても無効です。大事なのは想像力の育成で、食事がない人、その理由、内紛や戦時下の苦しみ、貧困や災害時の境遇を思いやる訓練をします。そして断食の最も大きな役割は、この1年間、神の道に沿った生き方をしてきたか、暴飲暴食をしてきたのではないか、間違った生き方をしてきたのではないか、と方向修正をすることにあります。それゆえに断食ではなく、実際には「斎戒《さいかい》」と呼ぶ方が合っています。

断食期間が1か月間であることは、確かに合理的です。もしこれが1日だったら、あるいは1週間だったら、人はただ我慢してその期間をやり過ごそうと思うでしょう。しかし30日間も続けるためには、生活全体を変えなければなりません。それには本人の覚悟も、家族全体の準備も、社会の支援も必要です。

私の住むUAEは、緯度、24度28分0秒北。経度、54度22分0秒東。日本の沖ノ鳥島より北で、ちょうど台湾と同じくらいの緯度にあります。ほぼ全土が砂漠と土漠で、住民の多くは海沿いに住んでいます。冬の断食時間は10時間以上、夏は14時間にも及びます。就寝時間も含めてそれだけ空腹で過ごすと、否が応でも貧しい人のことを考えるようになります。「喉が渇いた」から始まって、「食べ物のない人は哀れだ」、「食事があるのが当たり前じゃない」、「すべては神様からのお恵みだ」、「家族と一緒に過ごせるのは有難い」のような気持ちに段々なっていくのです。

ラマダーン中にはサダカが奨励されています。サダカとは自発的な喜捨のことで、3番目の義務である〝ザカート〟とは少し違います。自発的と書くと判断しにくいのですが、〝義務以外の喜捨行為〟と考えるとわかりやすいです。そこには金品の寄付に加え、他人を助けるための時間や尽力、親切な言葉をかける、葬儀への参列、病人の見舞い、被災地への援助など、多様な慈善行為が含まれています。サダカは通年で推奨されますが、断食月に特に奨励されるのは、貧者が断食でさらに弱っているからです。寄付する物品は良い物であることが求められ、使い古しや気に入らないから捨てるような物品では価値がありません。また非合法で得たものを施したら（その徳は）無効となります。ザカートもサダカも匿名で行うことが奨励され、決して名乗ったり、恩を着せたり、見返りを求めたりしてはいけません。

敬虔な者は、神を愛するがゆえに「見返りも感謝もいりません」と言って貧者と孤児と捕虜に食物を与える。（クルアーン人間章8、9節）

毎年ラマダーンが来るとムスリムは内省的になり、前年の行いを悔い改め、もっといい人間になろう、神の教えに立ち戻ろうと心をリセットします。私自身は、こうした機会が毎年巡ってくることは素晴らしいチャンスだと思っています。そうでなければあっという間に年月は過ぎ、自分の行為を顧みることも、他者との関係を修復しようとする機会もやってきません。世界のムスリムは毎年30日間、スピードを制御して人生をリセットしようと試みます。斎戒月は肉体と精神の修練のときで、生産性や効率といった表面的な時間軸だけから批判すべき対象ではないのでした。

信徒たちよ、あなたたちは自制を学ぶために断食しなければならない……。よく斎戒の精神を会得したならば、斎戒はもっとあなたたちにとって良いこととなるだろう。（クルアーン雌牛章184節）

巡礼は貿易と商売を促進した人類の民族大移動

教義の5番目「巡礼《ハッジ》」は、一生に一度、サウジアラビアにあるマッカに赴き、ヒジュラ暦12月の7～10日（正味4日間）に儀式を行うことです。義務といっても〝それが出来る人が〟という条件付きで、財力があり、心身が健康で、旅することが可能なムスリム成人が、生涯に一度やればいいことになっています。家族を捨てるように自分だけ勝手に巡礼に出るのは禁止ですし、留守中に家族が困らぬようお金を残していくことも規則です。交通手段がなかった時代に何年もかけてマッカに赴くのは、そもそも命懸けでした。大型航空機がある現在だって、願っても簡単に行ける場所ではありません。しかし神の定めた義務であることと、年間のうち定められた巡礼日があることで、毎

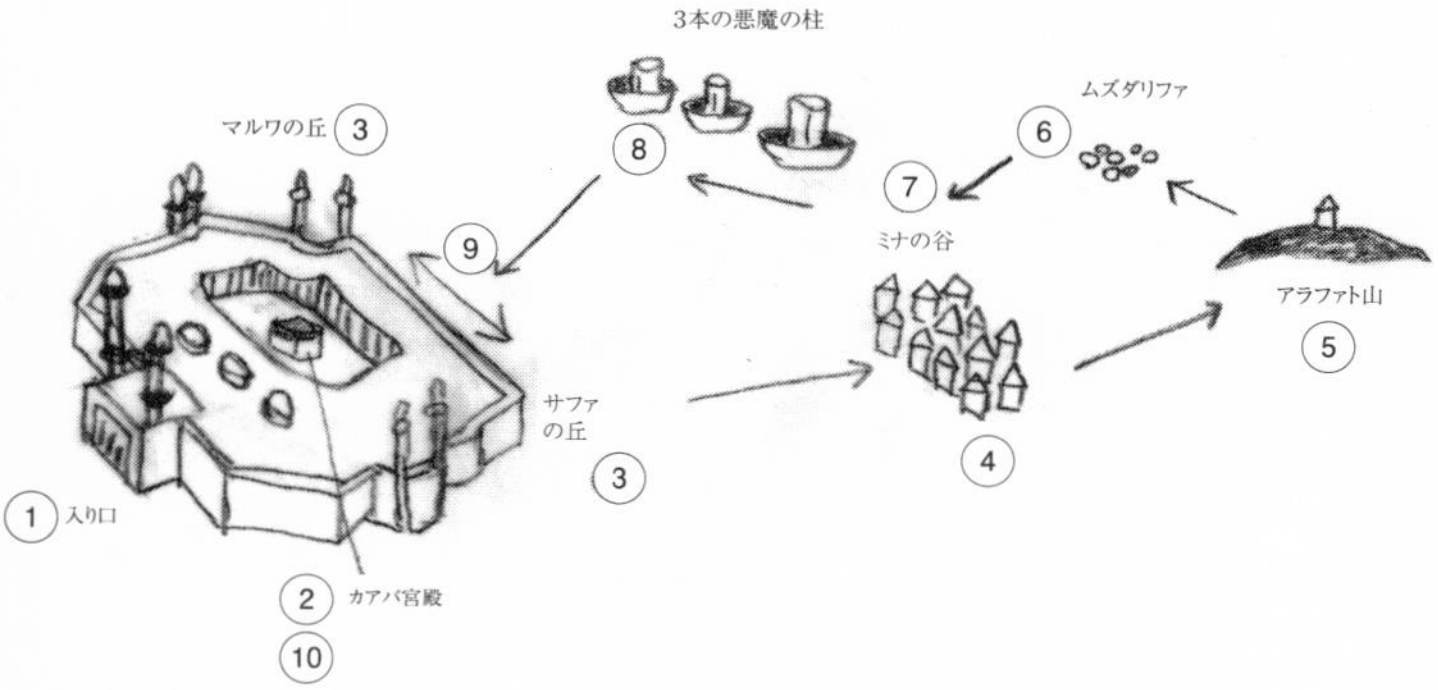

巡礼の儀式の順序

年のようにマッカを目指す人々がいました。

巡礼の期日は短く、儀式は凝縮しています。簡単に説明すると、ヒジュラ暦の12月（ズー・アルヒッジャ月）の7日までに、信者は巡礼服をまとってサウジアラビアのマッカに入ります。カアバ神殿の周りを7回まわり、サファーとマルワと呼ばれる小さい丘の間を7回行き来します。8日には近くにあるミナーの谷に移り、9日にアラファト山に登って、現世で行ってきた罪を悔悟します。ムズダリファで一泊し、10日はミナーの谷に戻って三本の石柱に小石を投げつけます。その後、故事にちなんで財力のある者は羊か山羊を屠り、頭髪の一部を切って巡礼服を脱ぎます。10、11日にはマッカに戻り、再びカアバ神殿の周囲を回って巡礼は完了します。

クルアーンには、この儀式のもととなった多くの故事があり、その幾つかを紹介します。

①サタンの誘惑に負けて（禁断の実を食べて）楽園から追放されたアーダムとハワーは、地上に堕ち、長い放浪に苦

マッカ

しみます。しかし、やがて正気を取り戻し、自らの過ちに気づきました。そのとき神は二人を赦して再会させた場所がアラファート山です。二人は感謝の印としてその近くに小さな聖殿を建て、それがカアバ神殿の基とされています。

②イブラヒーム（アブラハム）は裕福な羊飼いで、子のない妻サラと、息子イスマイールを生んだエジプト人妻ハージェルと平穏に暮らしていました。ある日イブラヒームは神が息子を犠牲《いけにえ》に捧げることを望んでいると夢に見て、「どう考えるか」と息子に相談しました。すると息子は「神の意思ならば」と犠牲になることを承諾します。そこへ変装したサタンがやってきて父親にこう言います。「あんたは騙されている。息子を捧げろなんて、そんな酷いことを要求するのは神様じゃなくて悪魔だ」。しかし父親は神の意思だと信じて、この誘惑をはねつけます。次にサタンは妻《ハージェル》のところ

カアバ神殿

へ行き「イブラヒームはあんたを愛してないんだよ。夢を本気にして酷いことを言う。息子の命乞いをしな」と誘惑します。妻はそれを無視して神の意思を尊重します。最後にサタンは息子のところに行き、「あんたの父親は気が触れちまった。愚者のように殺されるのを待ってないで、早く逃げちゃいな」とそそのかします。しかしイスマイールも神の意思を受け入れサタンを追い払います。この故事から、信者は三本の悪魔の石柱に向かって小石を投げつけるのです。

まだ故事は続きます。③敬虔な心のご褒美にサラは子を身ごもり、イスハーク（イサック、ユダヤ人の始祖とされる）が生まれました。しかしサラは我が子のかわいさに嫉妬し、一家は分裂しました。イブラヒームはハージェルと息子を神のご加護に任せて、聖殿の近くに置き去りにします。二人は渇きで死にそうになり、サファとマルワの丘の間

1910年頃の巡礼キャラバン

を水を求めて何度も歩きました。最後に天使ジブリール（ガブリエル）が現れて、苦しむイスマイールの足元から水（ザムザムの泉）を湧き出させました。その後一家は再会し、イブラヒームとイスマイールは聖殿を再建しました。この母子の故事にちなんで、ムスリムは巡礼の時にサファとマルワの丘の間を7回行き来するのです。また、ザムザムの泉は尽きることなく永遠に湧き出る水源として知られ、その水は巡礼のお土産品になっています。

巡礼遍路は世界のどの地域にもあります。伊勢神宮しかり、四国遍路しかり。世界ではエルサレム、ベツレヘム、ローマ、サンティエゴ、セルギエフ、と枚挙に暇がありません。信仰がある限り巡礼者は続きます。イスラーム世界では、旅と言えばすなわち〝巡礼〟のことで、預言者ムハンマドが行った最後の巡礼（632年）が範例となっ

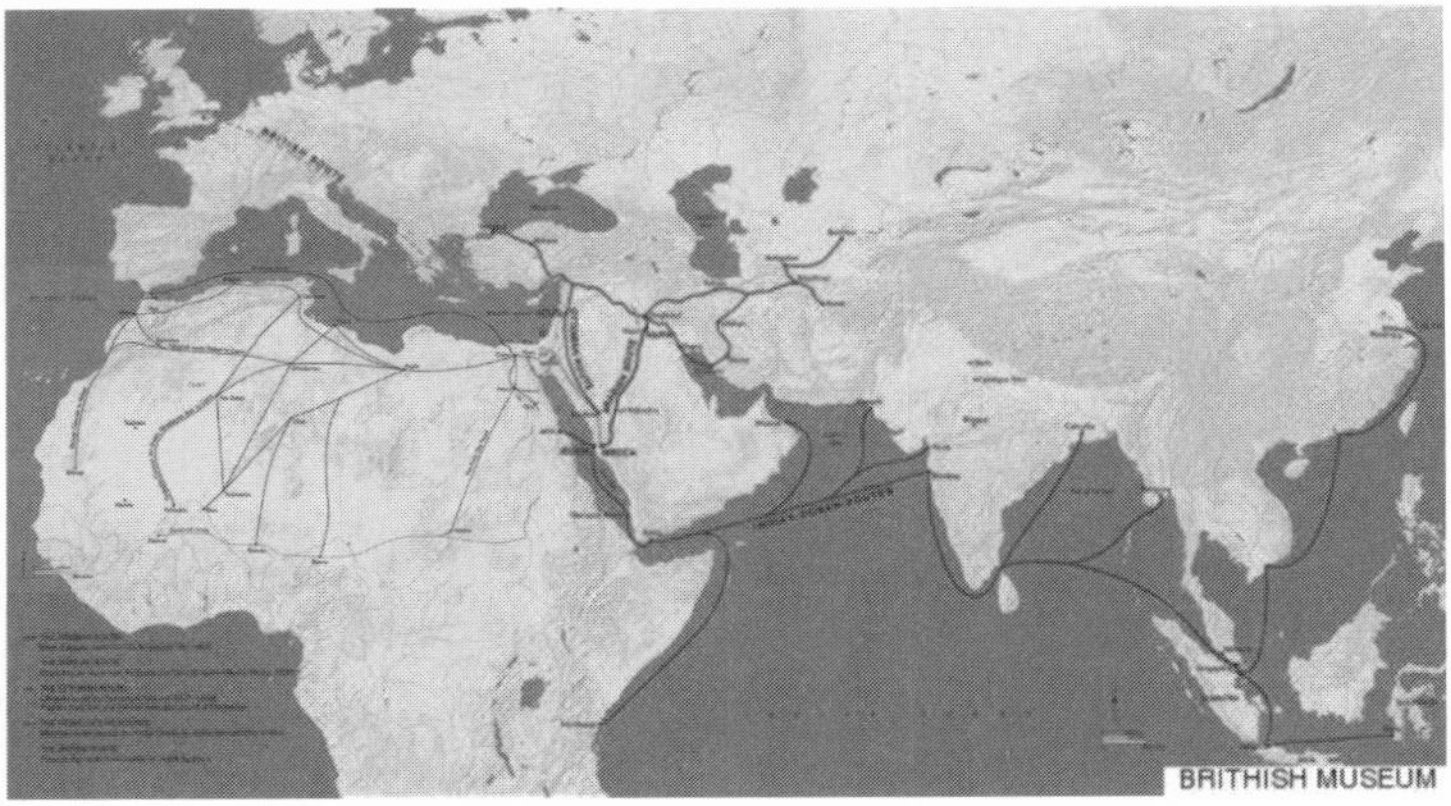

年代によって発展していった巡礼ルート。

てから、１４００年間も続いてきました。そしてマッカ巡礼は、人類の歴史に実に大きな役割を果たしてきたのです。

身近な例として、日本の東海道を考えてみましょう。１６０１年に徳川家康が「五街道整備」を計画し、江戸の日本橋から京に至る東海道を整備したのが始まりです。整備に伴い53か所の宿ができ、関所ができ、旅の無事を祈る寺社ができ、飛脚、駕籠屋、川を越える渡し船や人足、飲食店、土産物屋、宿泊所など、さまざまな商売が栄えました。それに伴って歌川広重の浮世絵や十返舎一九の小説など、関連文化も花咲きました。現在の東海道は４８７キロメートルの道で、約４００年間かけて日本の文化・社会の発展に寄与した場所です。それに比べ、世界的なスケールで行われてきたのが「マッカ巡礼」です。東はインドネシア、西はモロッコまで広がるイスラーム世界（地球の3分の1をめぐる距離）のあらゆる地域から、１４００年間、人が絶えず往来しました。長い道

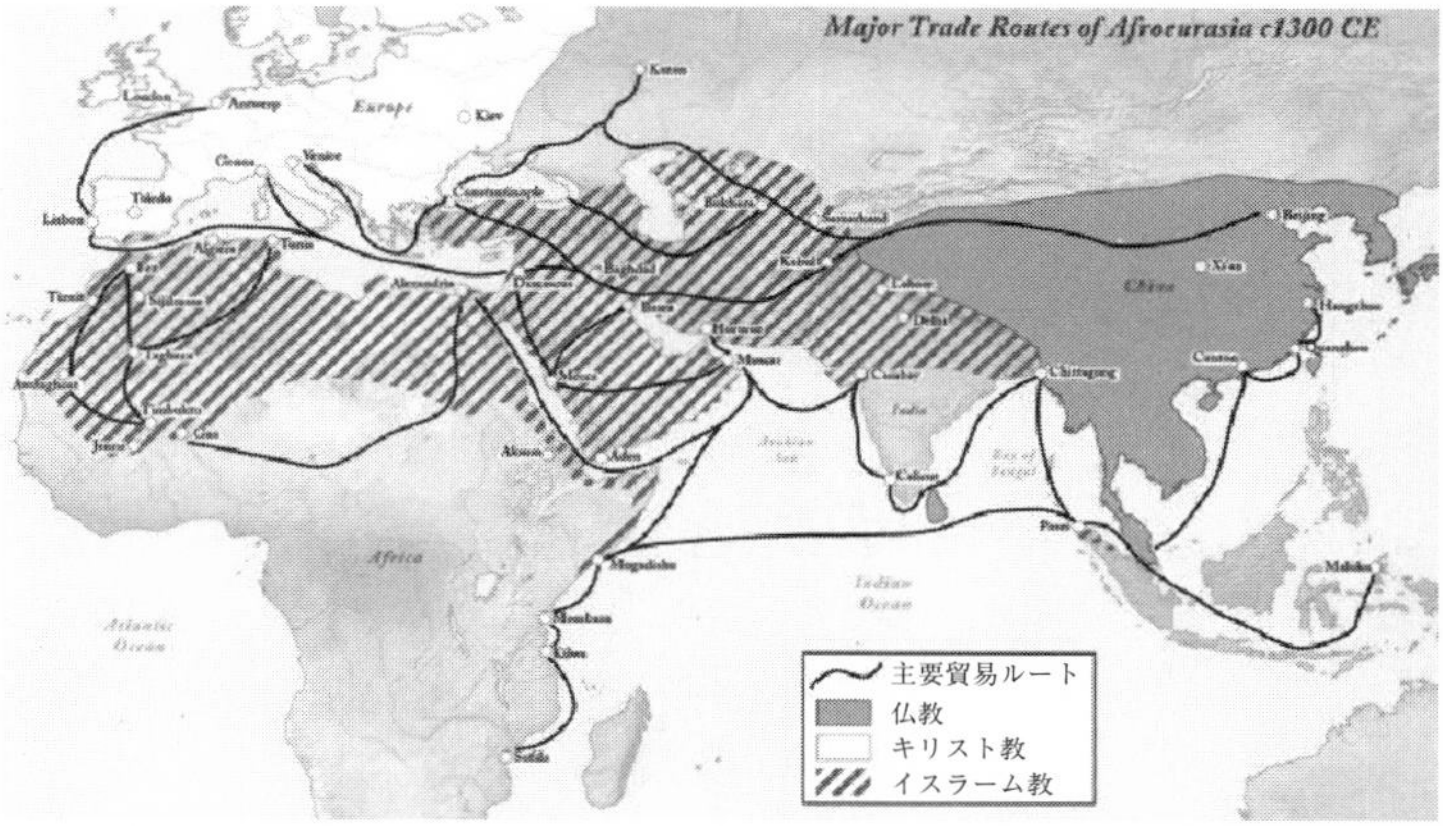

西暦1300年頃の貿易ルート。白はキリスト教地域、灰色は仏教地域、波線はイスラーム地域。

のりのあちこちに町ができ、物流が始まり、商売が栄え、人的交流が広がり、学術的な知識が交換され、商法や為替が発達し、貿易が拡がり、イスラーム文化が花開いて、人間社会が大いに発展したのです。

前頁の地図は中世の〝巡礼ルート〟で、世界中から巡礼に来る道筋を表しています。上記に並ぶのが、中世の〝貿易ルート〟です。このふたつはピッタリ重なります。5千頭の駱駝を率いて砂漠を渡るキャラバンや、貿易風を利用してダウ船を操り、胡椒や香木や乳香を世界中に売って貿易を発展させてきたのは、ムスリム商人でした。貿易はいつも巡礼とパッケージになって発展してきたのです。

また知識交換を目的とした巡礼キャラバンにより、科学や数学、天文学、医学が発展し、世界の隅々まで広がっていきました。世界経済・中世の科学においてマッカ巡礼が果たしてきた役割は、人類の歴史が証明しています。第8章にも詳しく書きましたが、イスラームとは、砂漠の遊牧民の未発達な宗教ではなく、貿易、商法、科学、学術交流、異文化交流を通じて複雑に緻密に発展してきた〝都市の宗教〟なのです。

シンプルでフレキシブルな教え

イスラームの教義はシンプルで柔軟です。多くの人が勘違いしていますが、人間をがんじがらめに縛り付けるものではありません。例えば、五行の義務のほとんどは〝自己申告〟制です。礼拝するか、断食するか、喜捨を払うか、すべて自分の心で決められます。時間に都合がつかなければ、礼拝は次の礼拝時間までに行えばいいし、忙しければ2つを同時に行うこともできます。断食は出来なかった日数分を後から埋め合わせればいいし、どうしても出来ない人は金銭で解決できます（貧しい人に喜捨をする）。

イスラームは常に償いが効きます。神の道から少し外れてしまっても、善行を続けたり、祈ったり、クルアーンを暗誦したり、巡礼地で悔悟すると、悪行はずいぶんと帳消しにされます。済んでしまった行為は自分以外の誰にも責任を問われないし（その点、イエスが人類の原罪を独りで背負って磔にされたキリスト教と教義が合わない。ムスリムは親兄弟といえども本人の罪を他人が背負うことはない）、自分の行為は両肩に乗る天使が記録し、審判の日に神に報告されるだけです。現世で積んだ善行によってのみ天国に行け、犯した悪行によってのみ地獄に堕ちる。しかし挽回のチャンスはたくさんある――非常に個人的な宗教で、〝究極の自力本願〟と言えます。と同時に、神が予め自分の運命を定めてある〝気楽な他力本願〟とも言えます。

ムスリムは人間社会は完璧ではないと知っています。それは、人間自体が完璧な存在でないからです。しかし神は完璧な存在です。人間は間違いを犯すし、血を流しあったり、過ちと知りながら行動したり、大切なものを見過ごしたりします。自分の善行がたとえ人間社会（＝現世）で報われなくても、神だけはそれを知り公正に判断してくれる、両肩の天使が記録したものだけで裁かれる――という救済思想が、すべてのムスリムを支えています。第2章の初めに「イスラーム＝絶対帰依」とは、神にすべてを任せ神の判断に委ねることだと書きました。そこに一粒の疑問でもあれば、上記のような救済思想は成り立ちません。

人々は迷うことがあると必ずクルアーンやハディースに立ち戻ります。ハディースとは、預言者ムハンマドの言行録で、ムハンマドが生きている間にこのように行動した、疑問にはこう答えた、というスンナ（行為）の伝聞が書いてある書物です。全世界のムスリムは、ハディースを書物と捉えますが、クルアーンを書物とは考えません。クルアーンは〝神の言葉〟そのものなのです。632年に完結した預言が人間の記憶・暗誦力だけに頼っていれば、いずれ改竄されたり失われる危険があります。それを避けるために書物の形に変えただけです。そのため他宗教の国でクルアーンが焼却されたりゴミ箱に捨てられたりすると、大反発を受けます。では古くなったクルアーンをどのように処理するかといえば、モスクに返すのです。日本人が年末に神社にお札やしめ縄や矢を返すでしょう。それと同じです。

本著には、意図的にクルアーンやハディースからの引用をたくさん載せています。ムスリム社会ではこうした引用が古めかしい死語になっているのではなく、毎日のように人々の口から唱えられ、苦しみや迷いから導く力になっています。アラブの小・中学校では、母国語（アラビア語）の授業より、宗教の授業数が多いものです。それはクルアーンやハディースに書かれた内容を覚え、解説され、理解することが育成期には最も大事だと、政府も教師も親も思っているからです。読者にとってはただの引用でも、ムスリムにとっては神様からの大事な命令、指示、天国へのヒントであることを忘れないで下さい。

２０２０年は新型コロナウイルスによって、世界中の人間が影響をうけました。多くの場所が閉鎖され、不要不急の外出が制限され、自宅にいることを余儀なくされました。コロナ以前の世界で簡単に得られていた余暇や娯楽や慰めを失って、人々の気持ちはどのように変わったでしょうか。個人の自由を最も尊重し、それを巨大な消費活動で支えていた資本主義社会には、大きな鉈が振り下ろされました。経済は停滞し、多くの人が職を失い困窮しています。特定の国や民族だけが損や得をしたのではなく、ウイルスは貧富を問わず襲いかかり、私たちの社会をすっかり変えてしまいました。そのとき私の周りで最も多く聞いたクルアーンの引用は、次のようなものです。

アッラーが私たちに定められる運命の外《ほか》には、何も、私たちに降りかかることはない。（クルアーン悔悟章51節）

地上において起こる厄災も、また彼らの身の上に下るものも、一つとして我（アッラー）がそれを授ける前に、書物の中に記されないものはない。（クルアーン鉄章22節）

酒も賭博も男女交際も禁じられたイスラーム社会では、コロナが猛威を振るう中で静かに断食生活（2020年4月～5月）が行われ、貧者を救うための定めの喜捨が粛々と配られていました。イジメ、自殺、引きこもり、過労死、セクハラ、孤独死、老後不安がある世界と、自由は制限されながらイジメも自殺も引きこもりもセクハラも孤独死も老後不安もない世界と、あなたはどちらが人間的だ、人道的だと判断するでしょうか。その答えは、本著を読み終えた最後まで、取っておいてください。

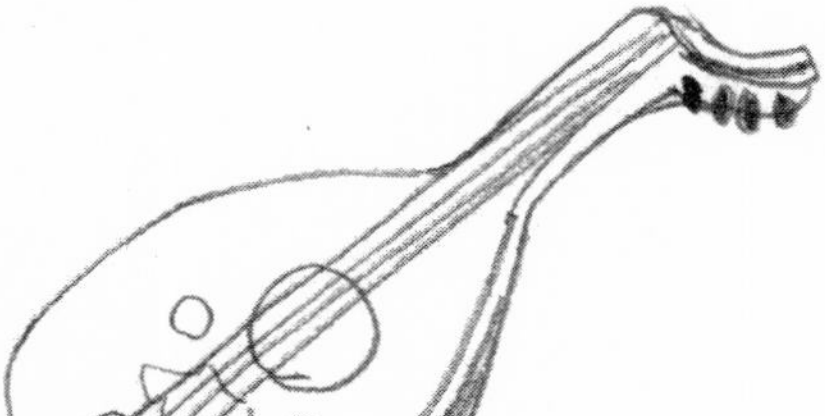

ウード
湾岸音楽のリズムは1/8テンポほど遅い。

第3章 現実を数値で捉えよう

アラブの状況はよくなっている

メディアは注目を集めるために、内容をことさら強調する傾向があります。誘導したい方向の記事を多く載せるし、風聞にもフェイクが含まれます。メディアが伝える中東のイメージはどのようなものでしょう。週末に親子が楽しく公園で遊んでいる光景でしょうか。緑豊かなオリーブ畑で暮らす人々でしょうか。あるいは戦車に向かって投石する子どもでしょうか。内戦で壊された瓦礫の下で血を流す青年でしょうか。犠牲者の担架を担いで大声で抗議している人々でしょうか。どれも中東の一風景であって、すべてではありません。しかし繰り返し流すことで、「中東とはそうした国だ」と聴衆に刷り込んでいきます。では、頭の中に少し涼しい風を入れるために、こうした国々の現実を数値で見てみましょう。

数値はいろいろな方角から観察しないと、本質的な姿を見誤ります。恐怖や非日常に注意を引かれたままでは、その姿は歪みます。人間は、悲惨で過激な情報を好んで知りたがり、日常を彩る些細で地道な努力に導かれる現実を、取るに足らないものと看過ごしがちです。ですから深呼吸して、先入観を捨てて、できるだけ真っ白な頭に戻して、これから出てくる数値を確認してください。

多くの統計には、〝中東北アフリカ諸国 Middle East and North Africa 通称でＭＥＮＡ〟という言葉が出てきます。それらは〝アラブリーグ〟、〝中東連盟〟と呼ばれる地域で、大抵の統計にひと括りで登場します。ＭＥＮＡには、アラビア語が通じ、宗教はイスラームで、少なからぬ歴史を共有した22か国が入っています。これらの諸国は約30年間で驚くほど生活を向上させてきました。１９９０年からの数値を見れば、生活状態は格段に良くなっているのがわかります。21世紀になって、こうした国々には多くの中産階級が生まれました。

例えば、ＭＥＮＡ地域の貧困率（1日1・25ドル以下で生活する人）は、１９９０年の７・２％から、25年後には４・４％に減りました（２０１５年）。同時期、世界全体の貧困率は、36％から10％に減っています。

教育の普及に関しては、１９９０年には56％だったのに対し、25年後は96％以上の国が基礎教育を子弟に受けさせています（２０１５年）。現時点での識字率を、年齢人口別に見ると、苦しかった

中東地域の成人の識字率

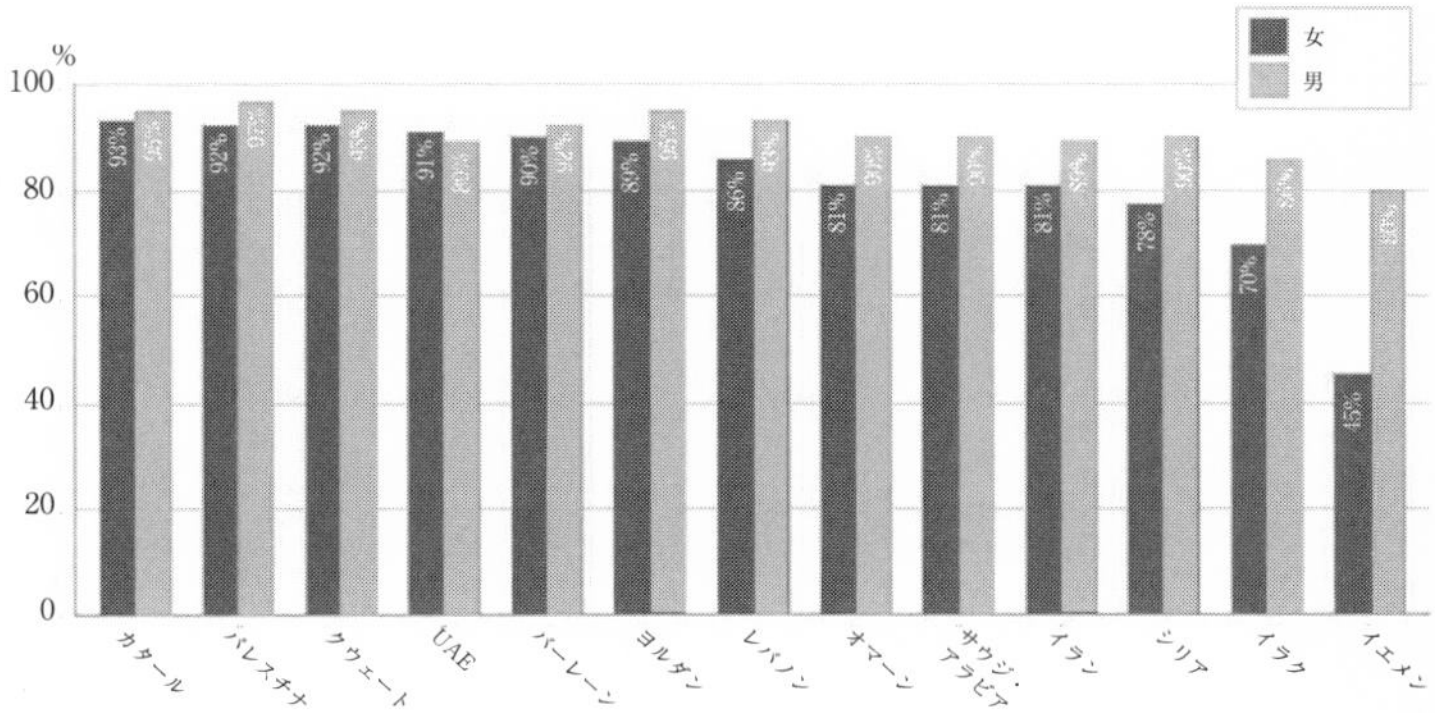

出典：国連統計部データより（2015年）

時代を生きた65歳以上では３割を切る（30％以下）のに対し、24歳以下の若年層は98％となっています。98％という識字率は素晴らしい。ほぼ誰もが読み書きができる状態です。

経済面を見れば、アラブ諸国のＧＤＰ（国内総生産）は１９８０年のなんと6倍にもなりました。40年間で6倍なんて、夢のような数字です。

一人当たりのＧＤＰは内紛地域も含めてさえ、１９９５年から２・６倍に伸びています。貧困率は激減し、経済指数も右肩上がり。教育も普及し、男女比は特に湾岸諸国ならどの指数（識字率、高等教育普及率など）でもほぼ同等です。インフラ整備も進み、国際空港の数はＭＥＮＡで90以上もあり、港湾設備、鉄道なども数多く造られました。

平均寿命は多くの国が70代後半（湾岸諸国は70代後半、内紛地域は60代後半）になりました。一般庶民が医療機関へのアクセスを持ち、長寿になったことも

MENA 地域の GDP の推移

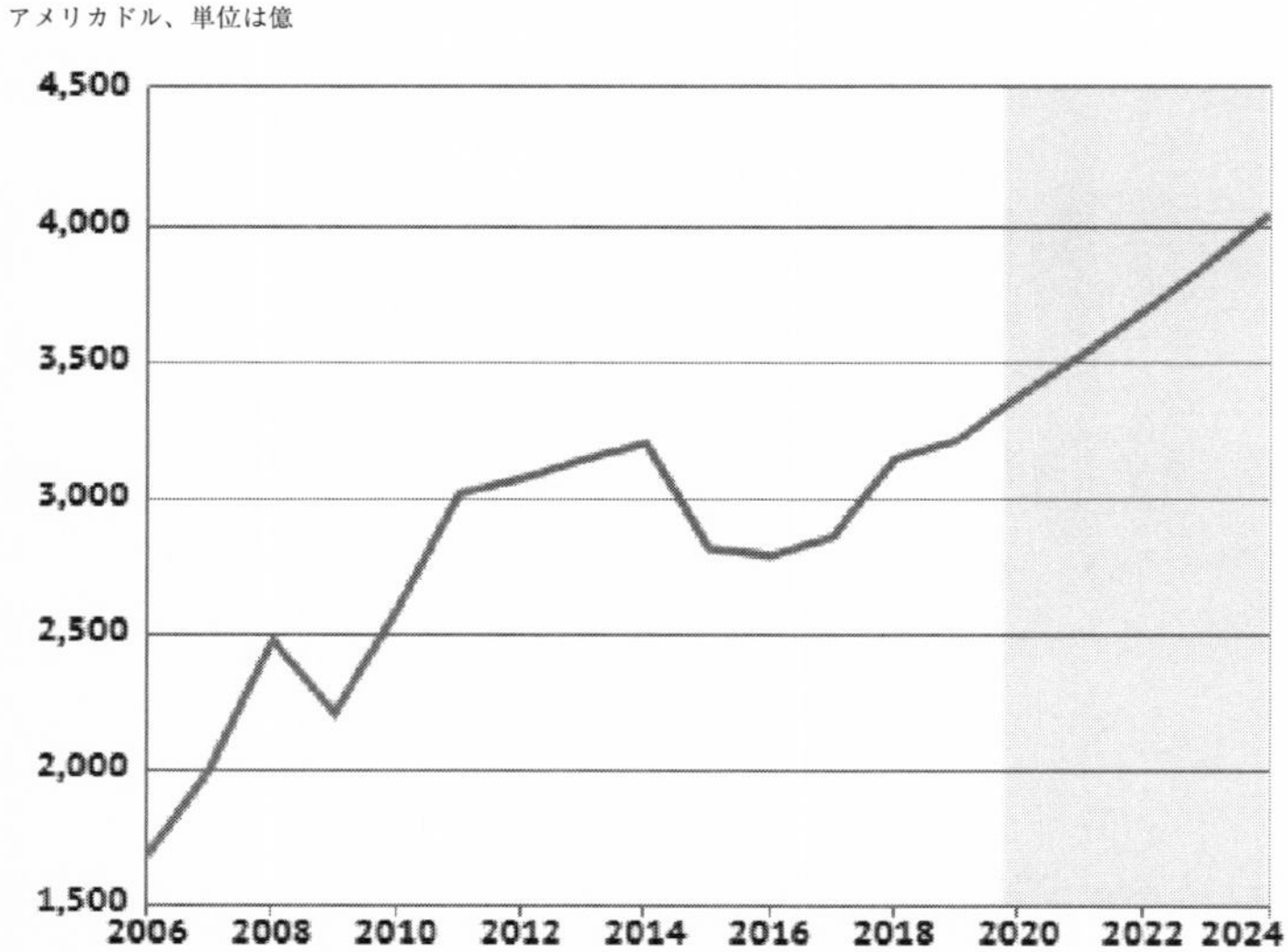

出典：世界銀行の統計（2019年）

ありますが、主な理由は、乳児・幼児死亡率が劇的に下がったからです。

つまりアラブの生活は改善しているのです。決して退化しているのではない。国内紛争で大多数が難民になって悲惨な生活をしているのが中東の全体ではない。植民地からの独立後の地道な努力が実って、今は多くの市民が豊かになり、恩恵に浴しています。

女性差別の問題

女性の教育は、アラブ社会では20世紀になるまで全く進みませんでした。最大の理由は植民地政策のせいです。ＭＥＮＡを支配していたのは、英国、イタリア、フランス、オランダなど西欧諸国ですが、共通して、被支配民が人権や不平等に目覚めて抗議運動しないように、男女問わず植民地の人間には教育を与えませんでした。1962年の統計では、チュニジア女性の96％、アルジェリア女性の90％が文盲だったとあります。

60～70年代に独立を勝ち得たこの地域では、国家予算の2～3割をもつぎ込んで教育普及を計りました。その結果、就学率も教育程度も短期間で劇的に向上しました。1975年の統計で、アラブ女性の就学率（初等教育）は、全体の46％を占めたのですから、男女均等になったと言えます。

かつてアラブ世界の首都として繁栄していた国（イラク、エジプト、シリア、チュニジア、レバノン、モロッコなど）は、1960年以前にも高等教育機関が存在しました。そうした諸国は独立を勝ち得た以降、1970年代になって、女性の大学就学率が飛躍的に上がりました。

一方、多くのGCC諸国（クウェート、カタール、UAEなど）は独立が遅く、60年代でも高等教育機関はほとんど存在しませんでした。70年代に独立すると、他国を追いかけるように女性の就学率は上がり、いまや女性の方がずっと高いのが特徴です。特に医学、歯学、薬学などの分野は、以前から女性の進出が目覚ましく、日本を含めた欧米諸国よりもはるかに女性の参加があります。その大きな理由は、男女の分業制が発達しているため、女性の職場が確保されているからです。こうした分野に進学すれば、国家的、社会的、家族的な支援を十分に得られるのです。

アラブの女性は虐げられている、家族性や部族性に縛られ、男性家長に生殺与奪を握られ、窮屈に生きている、と信じている方は次頁の表をご覧ください。

中東地域における女性の高等教育就学率

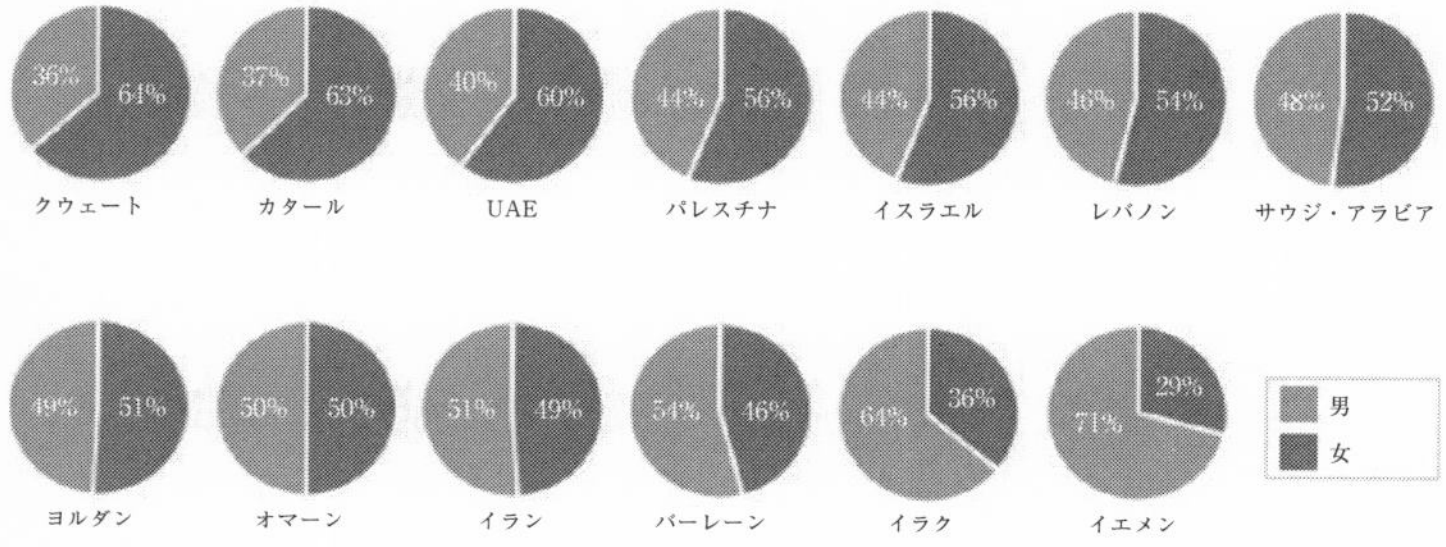

国連統計部のデータ（2016年）

高等教育における女性の就学率は、ほぼすべてのアラブ諸国で男性より高くなっています。日本と比較してみましょう。2019年の統計で、日本人の大学進学率は53・7％（男子56・6％、女子50・7％）で、先進諸国の中でも決して高くはありません。大学・大学院で日本女性が全体に占める割合は、学士課程で45・4％、修士31・6％、博士33・8％。女性の高等教育在学率（進学をあきらめずに勉学を続ける人の割合）は56・2％です。日本で女性の大学進学率（短大を除く）が5割を超えたのは、2017年になって初めてです。日本人が「アラブ女性は可哀そう。教育の機会を奪われている」と、よく調べもせずに発言したら、笑われてしまいます。

多岐に渡る女性の就職先

アラブ女性の就職先は医者、弁護士、エンジニア、教師、官庁職員など、多岐に渡ります。特に教師が多いのは、分業社会のため男女に分かれた職場が確保されているからです。別学教育を実施する国では、男女同じ数だけ学校が必要です。女子校には女性教師と女性事務員、男子校には男性教師と男性事務員が雇われますが、幼稚園や低学年の男子小学校には女性が勤めるし、高等教育の男子校（男子大学や研究所など）には女性事務員もいるため、女性の数が勝ります。女子校では当然校長から事務員まで女性です。つまりアラブ世界には男女同数の校長や教頭が存在するのです。2021年の日本には、果たして男女同数の校長や教頭、所長や職場責任者がいるでしょうか。イスラーム諸国は、その点ではずっと先に進んでいると言えます。

女医も男性の医者と同数、あるいはそれ以上に存在します。産婦人科、皮膚科、内科など、女医でなければ女性の患者を診られない環境があるからです。アラブ諸国の産科病棟では、医者だけでなく、助産婦、歯科医、レントゲン技師、臨床検査技師、看護師、掃除係など医療に関わる全員が女性で占められているのが普通です。つまり分野によっては、女性の仕事場は男性と同数あるいはそれ以上あり、皆さんが想像する以上に発展しているといっても過言ではありません。

統計の問題

さて、統計にはいろいろな問題があることを付け加えておきます。

第一に、湾岸諸国のような遊牧民の国では、「人口は常に動いている」と捉えられています。定住の意識が薄いのです。それを端的に表すのは、UAEやサウジには「住所」がないことです。私は20年以上も同じ場所に住みながら、定められた住所や番号は持っていません。地図もしょっちゅう変わるし、大通りやハイウェイの名称も数年ですぐに変わります。郵便物は家でなく郵便局にある私書箱に届くようになっており、宅配便は届け先の電話番号があれば、住所がなくても届きます（電話して家の場所を聞いてから配達する）。

元来、アラブ社会には国境という概念が薄いのです。19世紀以降、欧米諸国が植民地政策を進めるために国境を強いた頃から、なんとなく〝境界線〟ができました。今でもアラブのお年寄り（1930年代生まれの人）に国籍を訊くと、シリアやレバノンやヨルダンと答える人は少なく、「レバント（地中海の東側）」と答えます。彼らにとって、何世紀も続いた強大なオスマン帝国が解体（1923年）されてから10年程度では、国境の概念が薄かったのでしょう。人口の流動が基本であるため、統計も重視しない傾向があります。

UAEの人口は約9百万人です。そのうち11％がUAE国民（UAEパスポートを持っている人）で、あとは外国籍の移民です。情報を分析する時、外国人も含めた9百万人の統計なのか、UAE国民だけの統計なのか、きちんと調べないといけません。9百万の47％を形成しているのは西インド（インド・パキスタン・バングラディッシュ）の人々で、文化習慣に関した統計となると、結果はまるで西インドの統計とそっくりになってしまいます。

9百万人という数字も、実は、正しいとは言い切れません。UAEは労働ビザを取得するのに多大なプロセスと費用がかかるため、雇用者は従業員をとりあえず〝観光ビザ〟のままで雇います。2か月間の有効期限が切れる直前に、従業員は車や飛行機で隣国との国境を越え、再び観光ビザを取得してすぐUAEに戻ってきます。そしてまたビザが切れるまで働く、を繰り返します。彼らはほぼ1年中住んでいるというのに、住民の数には入っておらず、旅行者扱いです。

いまやドバイ空港はヒースロー空港を抜き世界で最も利用客が多い空港で、その数は年間1600万人です。その1割が観光ビザで出入国を繰り返しているとしたら、年間160万人が観光客を装って、実はUAEに居住しているのです。これだけを見ても、統計が必ずしも正しい値を示していないとわかるでしょう。そこは賢く分析しないといけません。

湾岸諸国の政治形態は、首長が地域を治める世襲制です。世界の遊牧民の指導者は、何世紀もの間、多くの妻を娶ってたくさん子孫を残し、最も優秀な人材を次期首長に任命してきました。以前は政治家と商人は分かれていましたが、今の首長はコミュニティの元首であるだけでなく、ほぼ全員が大商人で大株主で同時に軍人です。多くの外国人を抱える産油国の元首たちは、マイノリティである自国民の権利を守り、移民(異部族民)の影響を抑えるため、一元管理の政治体制を執っています。言い換えれば、国民の不安を煽るような統計は発表せず、表に出さないのです。

一方、外国(特に欧米)の独立した機構が調査する統計は、簡単にインターネットで出てきます。それらは属する国家や団体の意図に誘導されることが多く、情報を操作している場合もあります。

その背景もうまく差し引かなければ、正しい姿は見えません。つまり統計は頭から正しいと信じてはいけないということです。本著では私なりにさまざまな角度から考察し、解釈を試みます。

アラブ・イスラーム世界の女性元首

ムスリム世界には女性の国家指導者がたくさんいます。近代以降だけに言及すると、早くは1980年代から、さまざまな女性元首が諸国で活躍してきました。パキスタン、バングラディッシュ、コソボ、インドネシア、キルギス、トルコ、セネガルなどで、未だ日本でも米国でも実現できていない女性の国家指導者が、両手の指では足りないほどいます。これらはすべて、イスラームを国教とする国々です。

女性の国家指導者は、女性蔑視の国では決して実現できないことです。なぜなら指導者の周りに側近・秘書などたくさんの女性が働き、女性を十分に尊重している環境が必要だからです。たった一人の女性が、男性集団からお人形のように担ぎ出されているわけではありません。イスラームは女性を蔑視し抑圧した生活を強いる、と多くの人が勘違いしていますが、これらの女性党首は真実を語ってくれます。どちらの社会が女性を尊重し、女性に率いられた体制を（男性も）歓迎しているのか、考えてみてはいかがでしょうか。

	氏名	国名・役職	就任期内
	タンス・チルレル	トルコ首相	1993～1996
	シェイク・ハシナ	バングラディッシュ首相	1996～2001 2009～
	メガワティ・スティアワティ・スカルノプトゥリ	インドネシア大統領	2001～2004
	ベーナズィール・ブットー	パキスタン首相	1988～1990 1993～1996

	氏名	国名・役職	就任期内
	カレダ・ジア	バングラディッシュ首相	1991～1996 2001～2006
	ローザ・オトゥンバエヴァ	キルギス大統領	2010～2011
	シセ・マリアム・カイダマ・シディベ	マリ首相	2011～2012
	アミーナ・グリブ＝ファキム	モーリシャス大統領	2015～2018

	氏名	国名・役職	就任期内
	ハリマ・ヤコブ	シンガポール大統領	2017〜
	アティフェテ・ヤヒヤガ	コソボ大統領	2011〜2016
	シベル・シベル	北キプロス首相	2013
	アミナタ・トゥーレ	セネガル首相	2013〜2014

	氏名	国名・役職	就任期内
	マーム・マジョル・ボイ	セネガル首相	2001～2002
	サミア・スルフ・ハッサン	タンザニア大統領	2021～

画像：wikimedia, Public domain
※　シセ・マリアム・カイダマ・シディベの画像：ＵＮ

アラジンのランプ
美しいだけであまり役立たない。

第4章　アラブに自殺はない

なぜ子どもが死ぬのだろう

私が本著を書こうとした大きな理由は、日本の子どもたちが自殺してしまうニュースを見るたびに、残念で仕方ないからです。私の住んでいる地域には自殺がほとんどありません。30年間湾岸アラブに住んでいますが、自分のいるコミュニティで自殺を見たり聞いたりしたことは一度もありません。自殺のない国に生きる心の安らぎは何にも代え難いと、日本へ行ってよく感じます。駅のホームで待ちながら「人身事故で止まっています」と告げられた時のショック。メディアに見る子どもの自殺の多さ。遺族に追い打ちをかけるような「組織は無関係」「イジメはなかったと認定」

「労災と認められず」などの言葉。それらがどれほど異常で非人間的かを、自殺のない社会に生きていると感じます。近年は日本に来るたびに、自殺がまるで日常の一風景で、特別なことではなくなっているような恐ろしさを感じます。自殺が当たり前の社会なんて、本当は世界ではとても異常なことなのです。

自殺は周りの人間にとっても心を切り裂かれるほど辛いことです。事故や病気と違い、後悔や疑問は一生残り、人生がまったく変わってしまいます。かけがえのない人間を喪った時、遺族は昨日と同じ今日を生きることは絶対に出来ません。それほど辛いことなのに、なぜ日本では39歳までの死因の1位が自殺なのでしょう。若い世代で死因の1位が自殺となっているのは、先進7カ国では日本のみです。他国には自殺率がもっと高い国もありますが、日本ほど若年層が自死を選ぶ国は他にありません。こんな国でいいのでしょうか。

治療困難な風土病があるわけでもない、戦時下でもない、兵役もない、貧困に喘ぐ後進国でもない、独裁政権でもない。基本的な生活は保障され、国民皆保険があり、選挙で元首を選ぶことができ、世界第3位の経済大国で、穏やかな気候で、教育機関も充実している。そんな国は世界になかなかないのです。他国からみて羨ましいほどの国に生まれて、これから羽ばたくはずの子どもたちが、人生の醍醐味を知る前に死を選んでしまうなんて。私たちはこのまま無関心でいいのでしょうか。最初からそうした問題を持たない社会は、どんな秘訣を持っているのでしょうか。

世界で最も自殺が少ない場所は、軒並みムスリムの国

アラブ世界では本当に自殺がないのか調べてみると、そもそも記事や統計さえ少ないことがわかりました。

1992年から2000年までの9年間で、ドバイ首長国（当時の人口は約50〜80万人）では自殺者が人口10万人に対して、6・2人と報告されています。ほとんどが外国籍の若者で、多くは21歳から40歳までの男性です。

2003年から2009年の7年間（当時の人口は100〜170万人）では、人口10万人に対して6・3人。自殺者の4分の3がインド国籍で、主に30歳以上の男性。中学卒業以下の学歴を持ち、独身で就業者だったそうです。主な理由は、経済的な問題（大きな借金を抱えてUAEに出稼ぎにきたが、思うように返済できなかったなど）、就学上の問題（在UAEのインド社会で厳しい受験戦争を勝ち抜けなかったなど）、夫婦関係の問題（結婚したばかりの妻を自国に置いて出稼ぎに来て、思うように関係を築けないなど）で、男性が女性の3倍もいました。同じ報告書では、UAE国民の自殺率は10万人に対して0・9人と記述され、外国籍の7分の1だと発表されています。交通事故や医療事故の方がずっと多いので、自殺が国家問題として取り上げられることもないのでした。

ではWHO（世界保健機構）の2016年の統計（2018年更新）で、ムスリムの国を見てみま

GCC諸国の自殺者数の比較

低い方からのランク	国名	10万人に対する自殺率
1	クウェート	2.2人
2	シリア	2.4人
3	ＵＡＥ	2.7人
4	サウジアラビア	3.4人
5	オマーン	3.5人
6	イラク	4.1人
7	バーレーン	5.7人
8	カタール	5.8人

出典：世界保健機構のデータを基に著者が作成（2016年）

しょう。人口10万人に対する自殺者の数はこのような数字です。アフガニスタン6・4人、アルジェリア3・3人、アゼルバイジャン2・6人、バーレーン5・7人、バングラディッシュ6・1人、ブルネイ4・5人、エジプト4・4人、インドネシア3・7人、イラン4・4人、イラク4・1人、ヨルダン3・7人、クウェート2・2人、レバノン3・2人、リビア5・5人、マレーシア6・2人、モルジブ2・7、モロッコ3・1人、オマーン3・5人、パキスタン3・1人、カタール5・8人、サウジアラビア3・4人、シリア2・4人、タジキスタン3・3人、チュニジア3・2人、トルコ7・2人、ＵＡＥ 2・7人（男性3・5人、女性0・8人）、イエメン9・8人。ほとんどが5以下の数値で、紛争状態の国ではわずかに高くなっています。

ＧＣＣ諸国を並べると上記の統計のようになります。

同じＷＨＯの統計で、宗教に関わらず世界全体を見てみます。人口10万人対して日本は14・3（日本の厚生労働省の２０１６年発表では17・3）人、米国13・7人、幸福の国と呼ばれるブータン11・6人、世界幸福度ランキングで常に上位を占めるスカンジナ

世界の自殺率

世界で高い方からのランク	国名	10万人に対する自殺率
1	ガイアナ	30.2人
2	レソト	28.9人
3	ロシア	26.5人
4	リトアニア	25.7人
5	スリナム	23.2人
6	コートジボワール	23人
7	カザフスタン	22.8人
8	赤道ギニア	22人
9	ベラルーシ	21.4人
10	韓国	20.2人

出典：世界保健機構のデータを基に著者が作成（2016年）

ビア諸国（スウェーデン11・7人、ノルウェー10・1人、デンマーク9・2人）も、ほぼ10人前後となっています。

世界統計でもはっきりわかるように、イスラームを国教とする諸国は、世界的に最も低い自殺率なのです。

イスラームと自殺率の関連性

自殺率の低い理由を検証してみましょう。湾岸産油国を見て、金さえあれば問題は解決すると考えるのは間違いです。第1章でも詳しく書きましたが、今から半世紀前の中東世界は、ひとしく貧しい砂漠の後進国でした。20世紀後半まで被植民地に甘んじて、主だった産業もなく、電気も水道もなく、家を一歩出たら灼熱に焼かれる環境だったのです。そんな場所でも自殺する人間はいませんでした。

またムスリム世界において「政情」が自死に影響しないのは、WHOの過去の統計を遡れば明らかです。2012

年から国内紛争が始まりテロ組織に各地を支配されたシリアは、70万人が難民化している現在でさえ、自殺率は2・4人のまま変わりません。2003年に大量破壊兵器があると容疑をかけられ、米軍による侵略と占拠が15年間も続いたイラクも、自殺率（4・1人）は世界最低です。そうした国では十分な教育が得られず、基本的な人権が守られず、健康的な生活が送れないにも関わらず、日本や米国よりずっと自殺率が低いのです。「アラブの春」と呼ばれる政変で、2012年頃から健全な社会生活が困難になったリビア、チュニジア、アルジェリア、エジプトも、低い自殺率はずっと変わりません。

自殺への苦しい道のり

本当を言えば、私は統計の分析など好きではありません。一人の人間が亡くなったら、それはただ数字がひとつ増えたのではない、誰かの大事な命が突然に消えてしまうことです。遺族の人生は天と地ほども変わり、喪失という永遠の地獄が始まります。一人の自殺は周りの何十人、何百人にも影響します。人間はたった独りで生きているわけではない。家族も親戚も死に絶えてしまった人でさえ、必ず誰かとつながって生きてきたのです。だから数字がどうの率がどうのと血の通わない話をしたくはありません。どんな人でもこの世に意味があって生まれ、その命を最後の時間まで一生懸命に肩に担いで生きていたのですから。

私は人生のある時、清水の舞台から飛び降りるような選択をしたことがあります。１９９０年当時、日本人にとってまだアラブは世界の果ての異教徒の場所でした。そこに結婚しに行くと決めた時、周囲の99％の人間が反対していました。宗教が違う、文化が違う、人間が違う、食べ物が違う、服装が違う、女性への扱いが違う、自由度が違う、結婚生活が続くわけがない、バカを見るのは自分だ、自ら不幸になりに行くようなものだと、毎日誰かしらから説得・抗議の電話がかかり、悪い可能性ばかり突き付けられて、最後には「どうせすぐ泣いて帰ってくる」と嫌味を言われました。

しかし、私たちはどうしても結婚したかった。あの時代、ドバイまでのチケットを売る旅行会社は多くありませんでした。出国前、いろいろ調べて小さな旅行会社を見つけチケットを買いに行きました。駅から地図を見ながら会社を見つけたはいいものの、本当にチケットを買うべきなのか、買えば自分の人生は変わってしまうがそれでいいのか、片道で大丈夫なのか、この選択は正しいのかと、ぐらぐら眩暈がするほど考え続けました。当時、それほどアラブとは遠い世界だったのです。

私は朝からその駅にいながら、旅行会社の前まで何度も往復し、歩道橋を上っては下りて、駅前の噴水を阿呆のように眺め、近くの公園でブランコに座り、考え続けました。今ここで大地震が起きてチケットを買わない状況になりはしないか、今ここで大事件が起きて世界全部の飛行機が止まらないか、あるいは歩道橋が崩れ落ちて自分が病院に運び込まれたりはしないか、と何時間もへとへとになるまで考え、とりあえずその日は家に戻りました。翌日、「天変地異が起きなかったんだから、もう行くしかない」と心を決めて、同じ駅に行きチケットを買ったのでした（旅行会社の人に、約束しながら期日までに買いに来ないなんて困りますよ！　とひどく文句を言われた）。

私のような、たかが未開の地に結婚しに行くぐらいの選択でこれほど悩むのなら、自殺をする人たちはどれだけ迷い苦しむのでしょうか。何日も何日も上の空で過ごし、茫然自失となり、袋小路から抜け出せず、天変地異が起きて世界がひっくり返らないかと願い、行く当てもなく夢遊病者のように歩き回るに違いありません。そして最後に絶望して死の淵を超えてしまう。「さて今日はいい日和だ」と屋上から飛ぶのでも、「では行くか」と電車に飛び込むのでもありません。絶望するまでの何週間、何か月にも渡る地獄の苦しみがあって、それで最後にタガが外れて一歩を踏み出してしまう。自殺はそれほど苦しく罪深いものです。統計なんてただの数字です。そうした苦しみや悶絶は何も知らせてくれません。率が上がった下がったなんて、本当はどうでもいいのです。たったひとつの大切な命が失われることが問題なのです。

自殺は神への背信行為

ではなぜ、イスラームの国では自殺が少ないのでしょう。それは、ムスリムにとってすべての霊魂（命）はアッラーによって創造された、アッラーの所有物だからです。人間は神様からの贈り物として、自分の肉体にその霊魂を預かります。あたかもホテルが〝お客様〟を預かっているように。ホテルはあなたの肉体で、運営はあなたの精神です。あらゆる霊魂は神が創造し、神が望んだ期間だけ肉体に貸与されていて、人間が勝手に自分で終わらせることは許されません。殺人とは、神が預けた命を勝手に終わらせてしまう重大な背信行為で大罪です。対象が自分の命でも他人の命でも同じです。イスラームでは、自殺者には葬儀の礼拝は行われず、その魂は天国へ行くことはできず、来世では永遠に地獄の火焔に焼かれることになります。つまりムスリムの究極の生きる目的である「天国へ行く」という道が達成されません。加えて、自殺した先は地獄で、今持っている苦しみよりもっと酷い、もっと恐ろしい絶望が永遠に続く世界が待っています。そんな世界に自ら望んで行くのが自殺なのです。現世で受ける苦しみの方がよほど楽であると、すべてのムスリムは考えています。

あなたたちは我が戯れにあなたたちを創ったとでも考えていたのか？　また我らの下に返される（そして勘定される）ことなどないと考えていたのか？（クルアーン信者たちの章115節）

人間の命運は、それを授かる時代、場所、長短、苦楽、美醜も含め、すべてあらかじめ神が定めています。これが第2章にある〝定命〟です。さまざまな人生のうち、苦難の多い厳しい環境に生まれる人もいるでしょう。動乱や占領下に生まれる人も、平穏な人生を送る人も、ジェットコースターまがいの過激な人生を過ごす人もいます。しかしムスリムである限り、その運命を神に問うたり、嘆いたり、疑問を挟んだりすることはありません。運命は常に神の掌中にあり、人間がその分際を越えて先を知ること、ましてやコントロールすることは許されません。神が自分に預けた命がふたたび神に召される時まで、大切な預かり物としてムスリムは生き続けるのです。

定められた時がきたら、あなたたちはその時を一時間たりとも遅らすことはできない。一時間たりとも早めることができないように。（クルアーン蜜蜂章61節）

アッラーはあらゆるものに期限をお定めになった。笑わせるのも泣かせるのもそのお方である。死なすのも生かすのもそのお方である。男と女を造られたのもそのお方である。我らをまたもう一度お創りになるのもそのお方である。（クルアーン星章42〜47節）

自殺を試みると牢獄行き

イスラームの国では、自殺を試みると〝犯罪者〟として牢屋に入れられます。日本のように病院で手当てしてくれて無罪放免になると思ったら大間違い。日本人が考えるより罪はずっと重いのです。軽犯罪法の裁判にかけられ、UAEなら最長6か月の服役と5千ディラハム（約15万円）の罰金が科せられます。刑期を終えて罰金を払ったのちは、すぐに国外退去です。

2010年代後半の世界では、インターネットの自殺ゲームと、欧米の著名な料理人や俳優が立て続けに自殺したことで、若年層が大きく影響されました。〝～チェレンジ〟と呼ばれるソーシャルメディア上の遊びは、どのくらい長く（車に轢かれないまま）ハイウェイの真ん中で踊り続けられるか、どのくらい長く（窒息しないまま）ロープで首を絞め続けていられるか、などのふざけた遊びをチャレンジ（＝挑戦）と名付けて、世界中の子どもに挑戦させ、その映像をソーシャルメディアに載せるように促しました。これら自殺サイトと呼ばれるコミュニティは、最初は遊びっぽい小さな挑戦を課しながら、次第にエスカレートして自傷行為や障害が残るほどの行為を要求していきます。インターネットの普及とグローバル化で、国境を越えて増幅するこうしたサイトは、警察に摘発されるたびに姿を変え趣向を変えて次々と現れます。

自殺を禁止しているイスラーム諸国にもその影響は及び、UAEも例外ではありませんでした。自国民に自殺者はいないとしても、チャレンジを試みる外国人子弟に対して、連鎖を止めなければなりません。2019年6月、ドバイ警察は「自殺者を投獄しない」と画期的な発表をしました。外国人の自殺未遂者を、まずはカウンセラーをつけて安定させ国外退去させる方針に変更したのです。その背景には、イスラーム国家が自殺は禁忌と捉えても、多くの外国人は異教徒であること。

ＵＡＥの経済事情による外国人自殺者の増減を防止したいこと。自殺した人間（病人や死体）をＵＡＥまで引き取りに来る人がほとんどいない現状などがあります。

私はときどき日本の学校で講演し、イスラーム国家における自殺について話します。生徒たちが送ってくる感想には驚きが溢れています。「自殺した人間が牢屋に入れられるなんて！」、「自殺したら犯罪者になるなんて！」。それらを読むたび、日本の子どもたちは自殺を、追い詰められた時に自分を守る最後で最後の砦と考えていることに、胸が締め付けられます。しかし、元よりそこまで人間を追い詰める社会がおかしいのです。最終的に「死」が苦しみから救ってくれると考えたり、安らぎを与えると連想させる社会の方が間違っています。苦しむ人をなぜ周りの誰も救えないのか、アラブにいるととても不思議です。イスラームでは他者を助けることは神から預かる命を支えるのと同じで、神の道への努力（＝ジハード）とされています。

剣や毒を使って、あるいは山から身投げして自ら命を絶つものは、復活の日にそれと同じ責苦を受けることになろう。（ムスリムのハディース）

信仰する者よ、あなた方の財産*を不正にあなた方の間で浪費してはならない……。あなた方自身を、殺したり害したりしてはならない。（クルアーン婦人章29節）

苦しみの前払い

いかに綺麗ごとを書いても、この世には苦しいことばかりあると嘆く方もいるでしょう。右を見ても左を見ても苦しく、上にも下にも希望はなく、たったの一歩さえ進めないという人もいるかもしれません。しかしイスラームにはとっておきの切り札があります。それは、「苦しみの前払い」という考え方です。

テレビで見るシリア難民やパレスチナ難民、バングラディッシュにいるロヒンギャ難民の状態は、誰が見ても苦しみの極致です。一番苦しいのは終わりが見えないことです。パレスチナ難民は1948年のイスラエル建国以来、70年以上キャンプで生活しています。二世代以上の人間が難民キャンプで生まれたり死亡しているわけです（彼らは他国に亡命して国籍を取り、市民生活を得ることを希望しない。難民がいなくなると、パレスチナという国家を創る意義が消滅して、国が占領されてしまうから）。シリア難民は2012年からすでに10年。ロヒンギャ難民は2015年頃から6年以上です。思い出してください。第1次大戦も第2次大戦もあれだけの死者と破壊と苦しみを捻り出して4～7年間で終わっています。ではこうした難民の悲劇はいつ終わるのでしょうか。絶対に自殺をしない彼らは、

＊ 神から授かった命も含まれる。

苦しいことに押しつぶされそうな日本人よりも苦しくないのでしょうか。

現世での試練、災難、不孝、厄災は、その人が苦しんだ分、最後の審判の日にうーんと罪を軽くしてくれるものだとムスリムは信じています。苦しみに耐えた自分に、神は多くの徳を与えてくれるからです。長引く病気も、その度合いや期間に合わせて、大きく善行の嵩《かさ》を増してくれます。〝徳〟と書くと測れないので難しそうですが、日本人の大好きなポイント制に似ているといったら、わかりやすいでしょうか。善いことをしたポイントが溜まったら、今までの悪行が随分と帳消しになるのです。だからムスリムは悪いことが続いても、じっと我慢することができます。反対に善いことばかり続いたら、神妙に「それなりの義務を払わなければならない」と感じます。神はどのような状況でも（幸福になっても不幸に陥っても）人を試すからです。

「前払い」の精神は、人間の寛容や忍耐を育む素晴らしい教訓になるのですが、それが国家的な規模になると、人々は考えることを放棄してしまう傾向があります。それゆえ難民問題を解決する原動力や、国際問題を分析する機動力になりにくい、という欠点があります。誰もがその苦しみを個人的な試練と受け止め、自分の前払いとして乗り越えようとするからです。たぶん苦しみの規模があまりに大きく深くて、神の授けた運命と理解しない限り、乗り越えられないほどだからかもしれません。

我らは恐れや、飢え、そして財産や生命や収穫に損害を与えたりして、必ずやあなたたちを

試すだろう。しかし、辛抱強く耐えている者は励ましてやりなさい。（クルアーン雄牛章155節）

子どもの死因

日本の子どもについて考えてみます。次頁の図を見ると、少子化が進み児童生徒数は減少しているにもかかわらず、子どもの自殺は増えています。自殺率は2006年の10万人あたりに1・2人から、18年には2・5人まで上昇しました。2018年中における自殺者の総数は2万840人、10代および高齢者は前年より増加し、うち小学生が7人、中学生が124人、高校生が238人、大学生が336人、専修学校生などが107人となっています、。

警察庁の発表（2019年3月）では、自死の主な原因は「家庭の不和」（12・3%）、「父母などの叱責」（9・0%）で、「イジメ問題」はわずか2・7%。警察庁、文部科学省、厚生労働省を合わせた発表でも、原因不明が全体の6割近くを占め、何が子どもたちをそこまで追い詰めているか分からないとしています。アラブでこんなに子どもが死んだら、国家の一大事となり、原因不明なんていう甘い分析は決して許されないでしょうね。家庭しか行きどころのない子どもにとって、支えてくれるはずの親との関係が悪ければ、苦しいに決まっています。親から受ける叱責は簡単に子ど

児童・生徒の自殺数の推移

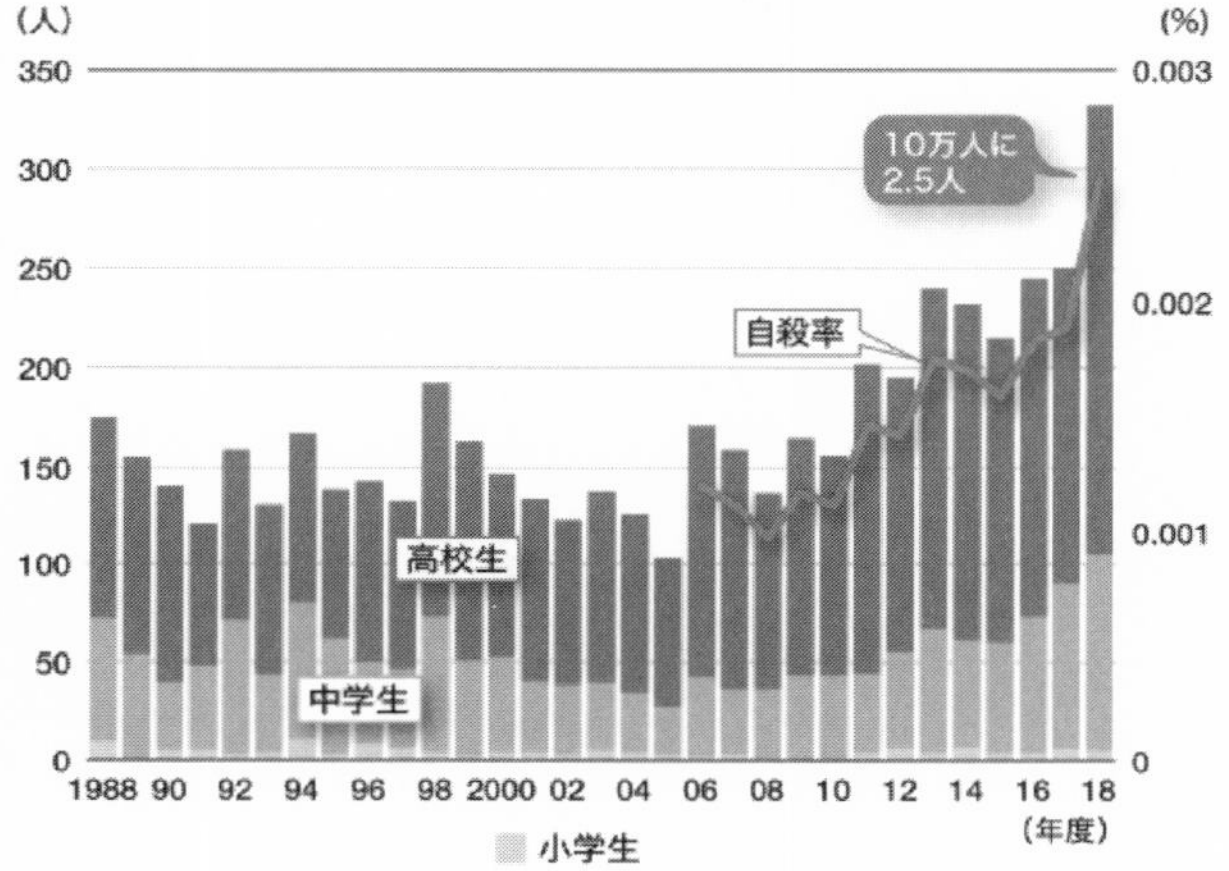

児童・生徒の自殺数の推移（公益財団法人ニッポンドットコムが運営する非営利のオープン無料サイトより）

もを追い詰めてしまうのに、なぜ親は叱ってしまうのでしょうか。

成績が悪くたって性格が優しいとかスポーツができるとかと、なぜ考えられないのか。体操や音楽や芸術が出来ないことでは責められない子どもたちが、学業だとなぜ責められるのか。それは日本ではまだ多様な生き方や価値観が認められず、戦後から一貫して高等教育だけが将来の経済的豊かさを保障してきたからです。画一的で平均的な教育を施し、年に一度の入学試験で生徒を振り落とすような制度を変えていかなければ、人間それぞれの良さは見つかりません。様々な人間の持ち味や特異性を社会に活かす訓練を怠けては、豊かな社会は築けないのです。

また経済状態の悪化とともに親が子どもに体罰を加えたり、死に追いやる事例も増えてきました。貧困は誰にとっても苦しみですが、それが子どもを迫害する原因となるのは間違っています。高い教育費に対して低い成績しか出せないと腹を立てるのも、効率と生産性に価値を置いた戦後教育の悪癖です。世界のムスリムは神を愛するように無条件に子どもを愛します。なぜならそれは神の指示だからです。外見や性格、能力、癖も含めて神がそう望んだのであって、親がコントロールできる範囲には限度があります。親が出来ることは、つまりは最終的に愛することだけなのです。

汝らの中で最もよき人は、自分の家族に優しい人である。（預言者ムハンマドの言葉）

総ての被造物はアッラーの子どもである。アッラーにとって最も愛しい人とは、アッラーの子どもたちに優しい者である。（バイハキーのハディース）

またムスリムの親は、日本の昔話に出てくる『三年寝太郎』の年老いた親のように、〝いつか彼の時が来る〟という運命への期待を捨てません。3年間寝たきりで歩きもせず言葉も発しない太郎を、ただ生かしておく。それにはものすごい勇気と覚悟が必要です。3年後に太郎がむっくり起き上がって鬼退治に行くなんて夢にも思わないまま、ただ世話をするのです。心の底から〝神は人に役割を与えてこの世に遣わした〟と信じる気持ちがなければ続きません。それこそが第2章で話したイスラームの絶対服従です。ただ神を信じて生きる、神の与える運命を信じ、教えを守って生き続けるのが、ムスリムの生きる基本姿勢なのです。

大人の死因

では大人の死因はなんでしょう。自殺数が完全失業率と連動しているのは明らかです。バブルが弾けた1997年頃から2011年まで、日本の自殺者数は年間3万人台のピークを迎えていました。しかし必ずしも経済的理由だけと言えないのが、2011年の東北大震災以降、自殺者が減っていることです。未曽有の災害で亡くなられた大勢の人を見て、命の大切さが改めて認識されたからかもしれません。

現在は非正規雇用者と年金生活者（高齢者）の自殺の多さが目立っています。世界中のどこでも被雇用者は将来への不安に苛まれ、苦しい生活を送っています。高齢者は老後資金の不安や孤独に苦しんでいます。2020年以降は新型コロナウイルスの影響で、貧困層が増えるでしょう。しかしそれは決して〝自己責任〟ではありません。自己責任とは日本人がよく使う、恐ろしく非人間的な言葉です。そんな考えが日本を蝕んでいったら、日本の素晴らしい特性が消えてしまいます。貧困を自己責任として放置すればするほど、(暴動や抗議や怨恨で)社会全体が蝕まれてしまうのです。アラブには自己責任という思想はありません。自分の行状が今ある運命を導いたと結果づける傲慢さがないのです。人間の身勝手な自己責任という言葉を、対象を選ばずに拡大していったコロナ禍を機会に見直す時が来ているのではないでしょうか。

卑近な話ですが、日本で生活したムスリムが一様に驚愕するのは、ローンの契約書です。自殺を含め、契約者本人が死亡した場合は支払い履行義務が無くなるというもの。これによって不動産バブルの処理がどうにもこうにも行かなくなった90年代後半から、日本の自殺者は激増しました。しかしアラブ人は誰一人、そういった契約書がこの世に存在することさえ信じません(イスラームにはそもそも保険という考え方がない)。そんな話をしようものなら私の神経を疑い、「こんな契約は人間に許されるものではない」と強く断言します。ムスリムにとって、紙切れに書かれた文章で人間の命がやりとりされるなんて、全く信じ難い、神も畏れぬ行為なのです。

人間そのものを大切にする教えも生きています。厳しい環境を何世紀も生き抜いてきたアラブの遊牧民にとって、部族の構成員とはすなわち〝財産〟です。出来が良くても悪くても、気に入らない癖があっても、よぼよぼの老人でも、構成員が多ければ多いほど生き延びる可能性は増えました。それゆえ、人間をあれこれ文句をつけずにそのまま受け入れる習慣ができていました。また老人に対する姥捨て思想や、老人ホームなどの施設もありません。

イスラームでは何よりもまず家族を大切にすることを奨励します。自分をこの世に誕生させてくれた両親を敬い、年長者を大事にするように。神様があなたに授けてくれた子どもを愛し、そして自分だけが独り勝ちして逃げ切れる人生などないと知るように。神様からの指示ですから誰も反論できません。

子どもたちに憐れみの情をもたないもの、年長者に払うべき敬意を払わないものは、私たちの仲間ではない。（ティルミーズィーのハディース）

ムスリムの国が持っていて、自殺の多い国が持っていないもの

アラブ人を評してお気楽だ、怠惰だ、いい加減だ、競争社会では生き残れないという批判はよく聞きます。後進国だから、紛争中だから、金持ちで悩みがないから、独裁政権で感覚が麻痺しているから、と想像する人はきっとたくさんいるでしょう。本当のところ、少なくない日本人が中東諸国を心の中で憐れんでいないでしょうか。悪い施政者に導かれ（あるいは選挙で悪い施政者を選び）、内戦や貧困に苦しみ、テロを目論む危険分子が潜伏していて、世界の秩序を破壊しようとしている。難民は絶望してキャンプの中で自殺を考えているに違いない。石油で潤う国でも女性は男性の抑圧

に苦しみ、自由を持たず、家の中に閉じ込められている——と考えていやしないでしょうか。

実際にはそんなことはないのです。ムスリムとして生まれた人間は、実は周りの状況がどうあっても、どんな辛苦に見舞われようとも、心には確固たる宗教心と安寧を持って生きています。生まれた時から神と天使と一緒なので、絶望することもありません。神は死が最後の手段なんて絶対に言わないし、死が何かを解決してくれるとも言いません。ムスリムが決して自殺しないのは、心に神がいて、自分の命は神からの預かりものと知っているからです。預けられている限りは意図があって、尽きるまで生きるのが義務だと信じています。運命は自分では変えることはできないし、事前に知ることもできません。最終的には何事も「神様が善きに計らっている」はずだと想像するだけです。

では苦しい状況のアラブ人はどのように生きているのでしょうか。それは「ただ生きている」と形容したら一番合っているでしょうか。朝起きて、祈り、食事をして、眠る——きっと難民キャンプにいる人も、貧困状態にある人も、同じように毎日を生きているはずです。そのように生き続けられるのは、「神は自分をこの世に存在させた明確な意思がある」と固く信じているからです。与り知らぬ場所で見ず知らずの人に影響を与えるのかもしれないし、後年に誰かがあなたの道を振り返るのかもしれない。あなたの子孫を誕生させるためかもしれないし、旧友や同僚をどこかに導くためかもしれない。神の采配は人間にはわからないものです。「必ずそこには意図がある」という自己肯定は、誰の心をも救ってくれます。ムスリムは命をこのように捉え、心の深いところで安心して生きています。簡単に言えば、ゆるぎない自己肯定観があるために、困難に直面した時でも希望を失わず、運命に臨むことができるのです。

どんな災難に見舞われようとも死を望んではならない。そういう時には「アッラーよ、私にとって生きることがよりよいことである限り、私を生き永らえさせてください。そして死すべき時が来たらどうぞ死なせてください」と祈るがいい。（アブーダーウードのハディース）

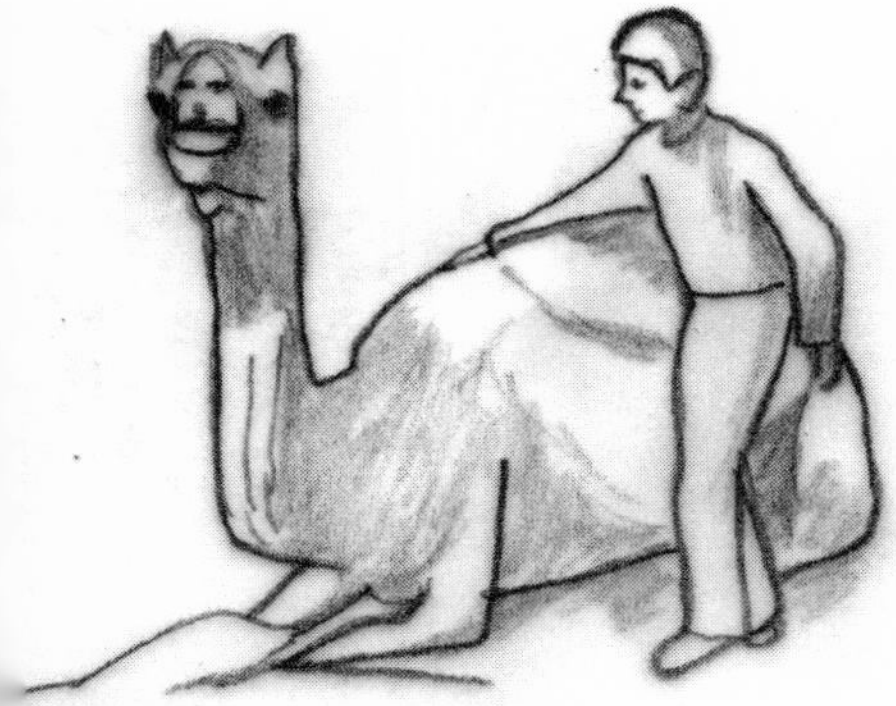

賢く我慢強いラクダ

第5章 アラブにイジメはない

「イジメ」のない社会が世界にあるか

「イジメのない世界がこの世にあるはずがない」と日本の友人が私に言いました。「残念だけれど、そんな社会は絶対に有り得ない、理想郷だ」と。そのときは「アラブやムスリムの国家には多少の排他主義はあっても、イジメは見たことがない」といった内容の会話をしていました。私も日本で育った人間ですから、イジメがない世界というのは何だか眉唾だと長いこと思っていました。どこかで隠蔽しているに違いない、イジメを宗教的な我慢や忍耐にすり替えているのかもしれない、と。

しかしどのように調べてみても、30年間、アラブ社会では他人の人生を左右するようなイジメは聞いたことがないのでした。

そういう話をしても日本人にはなかなか信じてもらえません。「あなたは上流階級で、たまたまその社会にはないんじゃないの」（私は全然上流でもないのだが）とか、「主婦には関係ないから知らないんじゃないの」とか、あらゆる推測で、〝私が知らないだけだ〟という結論に導こうとします。それだけイジメは日本では当たり前で、誰にでもある隠れた性癖で、空気のように避けがたく存在すると捉えられているのでしょう。

もともと〝イジメ〟という概念がない国で、どこにでもある小競り合い程度の意地悪と、日本にある陰湿なイジメとの違いをどのように説明できるでしょうか。アラブにだって当然、意地悪や人種差別や排他主義はあります。産油国では国籍によって対応も給与も違うし、アラブの辺境地域では男性が女性を管理するシステムも色濃く残っているし、紛争国の貧富の差は子どもたちの目にも明らかです。最近ではコロナ影響下で、中国人らしい顔をしているアジア人は差別を受ける地域だってあります。しかし他人の命をも左右するような、陰湿で継続的なイジメはないと断言してもいいでしょう。

たまに国際的に報道される日本のニュースを聞いて、イジメ問題を家族に解説しようものなら、誰も信じず、最後には嫌になって耳を塞いでしまいます。「人間の仕業とは思えない」と言い、なぜそんな話をするのか皆目わからないと顔をしかめます。私の運営する日本語学校の生徒に、イジメについて質問された時も同じでした。生徒はまさか大好きな日本にこんな社会問題があるとは信じられず、恐る恐る私に訊くのですが、私自身は日本の恥部を話すのが情けなくて、いつも概要だけを簡略に話します。しかし私の話を誰も信じないのです。要するに、アラブ人にとっては耳を塞ぎたくなるほど非人間的な、非現実的な所業なのでしょう。

きっかけは学園ドラマ

アラブの国々では政策でも風俗でも習慣でも、国家方針に合わないものは排除していきます。文化面とて同じで、イスラームの教義に合わない内容（セックス、飲酒、人種差別、異宗教の教え、男女の模範的でない行動）はスクリーニングされて、テレビなどでお目にかかることはありません。それらの規制にあまり引っ掛からない日本のアニメや韓流ドラマが、２０００年を過ぎた頃から、グローバル化とインターネットの普及と共に、アラブでも爆発的な人気を博しました。

そのひとつに韓流ドラマの学園ものがあり、女子高生の「イジメ」の様子が描かれていました。アラブ社会に初めてイジメが紹介された機会といっても過言ではありません。オンエアした翌日、娘の高校ではその話題でもちきりで、「韓国では本当にあんなことするの？　自分の友人に？　同じ仲間なのに？　日本にもそんなことあるの？」と何度も訊かれました。

「アラブの学校にはイジメはないの？」と訊き返すと、娘は真っ青な顔で「学校に来られないほどイジメるなんて、見たことも聞いたこともない。恐ろしい」と震えていました。人を死に追いやるほど陰湿に執拗に集団でイジメると聞いたら、気絶しかねない慄きようでした。

そのときから、アラブには本当にイジメがないのかと私は観察を始めました。30年間の社会生活を通して知ることができたのは、子どもたちが四半世紀以上通い続けた学校生活、夫や子どもを通しての職場の世界、近所の生活、加えてメディアからの情報です。それらを観察した結果、日本人には信じられないかもしれませんが、「社会的な制裁やイジメはみあたらない」のでした。

UAEの学校

信徒たちよ、邪推を避けなさい。邪推は罪である。また無用の詮索をしたり陰口をきいてはならない。（クルアーン部屋章12節）

忌まわしい行いを見た者は、自らの手でそれを正すべきである。それをする力がないならば、口から発する言葉によってそれを成すべきである。そうする力もないなら、少なくとも心からそれを憎悪すべきである。（ムスリムのハディース）

UAEで発生するイジメを検索すると、実はたくさんの件数が表示されます。そこで誤解を避けるために、まず国内の学校について説明します。

UAEは人口980万人（2020年世界銀行調べ）のうち、9割が外国人です。男女比は72％対28％で、24〜54歳までの労働年齢が全体の65％を占めます。つまり世界190か国から「労働」をキーワードに集まった成人外国人によって、人口の半数以上が形成されているのです。労働者のうち家族を帯同できるのは、ある程度の給与（と住居）が保障されている中間管理職以上の人に限られます。その子弟が通うのがインターナショナルスクール（以後、インター）です。インターは全国に643校あり、81万人が就学しています（2019年）。

インターはさまざまな国籍・宗教・バックグラウンドの子どもが通い、共通項と言えば「英語教育」だけです（その他、インド人学校やパキスタン学校、フィリピン学校、日本人学校なども認可を受け、自国の子弟を自国流に育てている）。多くのインターには英国流や米国流の教育システムが導入されていますが、生徒の宗教も言語もバラバラで、全員が共有する価値観はありません。親の仕事の都合で数年だけUAEに滞在する子どもがほとんどで、以前に住んでいた国の習慣を持ち込み、理念を共有できる仲間と多く交際します。そうした学校には、全世界で問題になっているイジメの習慣も持ち込まれるし、母国語が英語の生徒による優越（上下）関係も、金銭（親の収入）が裏付けるカッコよさも、男女共学ゆえに美醜の基準も持ち込まれます。私立校の学費は耳を疑うような高いものから低いものまであり、各家庭が給与に見合った学校を選ぶために、学校内で貧富の差が目立つことは少ないです。しかし高額な学校に行けば行くほど、プロムパーティや誕生会を派手に行う習慣があり、親が金持ちで小遣いをいくらもらえるかが、仲間の種別や子どもの立場を決めるキーワードになります。

一方、UAEの公立学校は全国に615校あり、28万人が就学しています。公立校にはUAE子弟と同時に、アラブ系外国人の子弟も入学できます。外国人の入学条件は、親子ともアラビア語が話せるムスリム家族であること。無償教育のため人数制限があり、全体の2割以下に抑えられています。ここでのキーワードは「言語」と「宗教」。公立校はアラビア語を母国語とするムスリムの子どものための教育機関で、アラブ・イスラーム世界に共通する常識や価値観、理念が生きている教育現場となります。もちろん男女別学です。

公立校は質実剛健、余計な行事は一切せず、勉強だけに専念します。ユニフォーム着用、女子校なら化粧やお洒落を一切許さず、男子校では高価な所有物（モバイル、時計、スポーツ用品など）は持ち込み禁止です。もともとムスリムは誕生日を祝う習慣はないし、邪悪の目から身を守るために目立つ装い・行動はしません。本著では、インターも含めた学校について言及すると基準もキリもなくなるので、UAEの公立学校だけについて言及するとお考え下さい。

学校でのイジメ

アラブ系ムスリムの子弟だけが集まった公立校ですが、実はさまざまな生徒が存在します。UAE国籍の子、湾岸諸国（オマーン、クウェート、イラクなど）の子弟、北アフリカ人（エジプト、チュニジア、モロッコなど）の子弟、無国籍（船で周辺諸国からボートで密入国した移民）の子。祖先もアラブ系イラン系アフリカ系インド系など多種多様で、肌の色も顔かたちもバラバラです。これだけ違いがあれば、程度の差こそあれ比較や小競り合いは学校内で存在します。しかし、それらの要因は個人の性癖や言動からくるもので、国籍、階級、美醜、容姿、貧富の差からくるものではありません。公立校は厳しく宗教を教えるので、その人が持って生まれた家庭状況や容姿は、神様がその子に与えた命の様《さま》で、批判を向ける対象ではないと教わって育ちます。批判は神に対する「挑戦」で、「人間の分際を越えている」と子どもは習い覚えます。

もうずっと前になりますが、我が家の次男が小学校に通っていた頃、気の強い少年に意地悪をされていた時期があります。スクールバスがない学校に入学したため、次男は乗り合いタクシーで通わなければならず、同乗する子の一人がときどき暴力を振るいました。そのたび私はタクシーを変えたり、運転手に文句を言ったりしましたが、（セクハラの章を読んでもらえばわかるように）アラブ社会では男女の役割がはっきり分かれており、男子校の問題は父親が解決するもので母親に出番はありませんでした。

意地悪する子は同じコミュニティの、夫の同級生の息子でした。私が夫に「どうにかして」と訴えるたびに、夫は次男に少し話をするだけでした。相手の少年にもその父親にも学校にも話を持ち込みません。私が考えるイジメとアラブ人の捉える意地悪が違うのかと、気を揉んだものです。最初から最後まで、夫は息子に〃他人の悪意をかわす処世術〃を伝授しただけでした。そのうち成長して学校が変わり、息子はその子との接点がなくなりました。

一方、我が家の三男は好き嫌いがはっきりした悪戯《いたずら》好きの悪ガキでした。気に入らない人がクラスにいると、徹底的にこき下ろします。背の小さい人をコビトと呼んだり（そのうち彼は三男の身長を越えてしまった）、Aという名の少年を「お前の名前はBだ」と友人に広めて勝手にBと呼ばせたり、つまらぬジョークを飛ばす友人の背にバカと貼り紙をしたり、イタズラに知恵を絞ることにかけては決して気を緩めません。時に度を超える（ように私には感じられる）ので、相手に謝るよう怒ると、「単なるイタズラじゃないか。動物だって勢力争いくらいするだろう。喧嘩もしない男の学校なんてあるもんか！」と反発します。確かに、私が心配するイジメとは違う種類だったのかもしれません。なぜなら息子は、喧嘩をした相手から電話がきて宿題を手伝ったり、一緒に釣りに出掛けたり、反対に手痛くやり込められたりしていたからです。要するにちゃんと線引きをして、人間の分際を守っていたのでしょう。それにしたって私は彼の意地悪にいつも冷や冷やしていました。

挑発を受けても寛大に許しなさい。あなたに対して不公平、不正直であった者に対しても公

正でありなさい。あなたが困ったときに施してくれなかった者にも施しなさい。あなたの心遣いに応えなかった者とも親交を保ちなさい。（ブハーリーのハディース）

信仰する者よ、ある者たちに他の者を嘲笑させてはならない。互いに中傷してはならない。また綽名をつけて侮辱し合ってはならない。（クルアーン部屋章11節）

イジメへの対処

2019年秋、アラブ教育世界の中心地を自任するシャルジャ首長国で、小学4年生の少年二人がクラスメートをイジメたために、更生センターに入れられました。少し障害のある少年に暴力を振るったと、新聞にはありました。学校名も親の名前も公表し、「イジメは決して許さない」との首長からの厳しいコメントがついていました。UAE社会でイジメが問題になったのはなにしろ初めてで、それだけでも驚きましたが、首長（小さいながらもその地域の元首）が10歳程度の少年にこれほど厳しい処罰を下したのに世間は驚きました。親の家名を貶めるほどだったのか、学校名を出してイスラーム教師の怠惰を責めるほどだったのか（イスラーム教師は子どもたちに善悪と道徳を教えるのが仕事)、新聞記事だけではわかりませんが、首長がそれほど怒ったからには理由があったのでしょう。処罰の厳しさと共に忘れられない事件となりました。

２０１９年にドバイの私立高校で起こった女生徒同士のイジメは、動画で拡散され大問題になりました。年間３５０万円も学費がかかるその私立高では、女生徒が別の女生徒の髪を引っ張って引きずるなどの暴力と暴言を伴い、加害生徒は即刻、退学処分になりました。多国籍者が集まる私立校では、２０１０年頃からイジメが収まらず、男子生徒が女生徒に暴力を振るって障害が残るほどの怪我を負わせたこともあります。学校は公に謝罪文を出して加害者を退学させれば済むけれど、それで解決になるのかどうか。一番苦しいのは、あとに残された被害者です。加害者一家は学費が無駄になり、子どもは学校から追放され、親が失職(同時に帰国)するんだから、当然の報いを受けることになります。

自分の欠点を見つめなさい。そうすれば他人の粗探しなどしないようになるだろう。決して他人の粗探しをしてはならない。自分の欠点を他人の中に見出そうとすることは罪である。
(アブーダーウードのハディース)

職場のイジメ

夫などから聞く職場での嫌がらせの最たるものは、「他人を育てない」環境です。仕事の多くを担う外国人は、新たに入社する人間（UAE国民も含む）を牽制して絶対に仕事を教えません。教えると自分が必要なくなってクビになるからです。出稼ぎにくる外国人にとって、一番困るのは仕事を失くすことです。そのため絶対にノウハウを引き継がず、何年経てども仕事を教えず、退職する時（クビになる時）はたいがい仕事や機械やシステムを壊していきます。どんな新人も何の蓄積もない所からのスタートでは、組織はなかなか育ちません。これは外国人労働力に頼らざるをえない国家の、共通した弱点と言えます。

〝エミラティゼーション〟と呼ばれる自国民の雇用促進制度が、国家を挙げて30年ほど前から続けられています。外国人労働者を減らし、UAE国民に労働市場を担わせていこうとする政策です。それがなかなか進まないので、最近は新たな規則ができて、私企業は一定割合以上にUAE国民を雇わなければならなくなりました。雇用全体の25％がUAE人であるべきと最初に決められたのは銀行でした。ところが現場では、UAEの新人が実務を担う外国人にまったく無視されて、ただスタンプを押す仕事だけを任されているのはよくある光景でした。省庁であれば、エジプト人やヨルダン人が徒党を組んで、必要な書類も情報も新人に共有させない傾向が続いていました。前世紀末まで高卒・大卒が少なく人材が十分に育っていなかったUAEでは、労働市場はずっと外国人に占

UAEの外国人労働者の割合

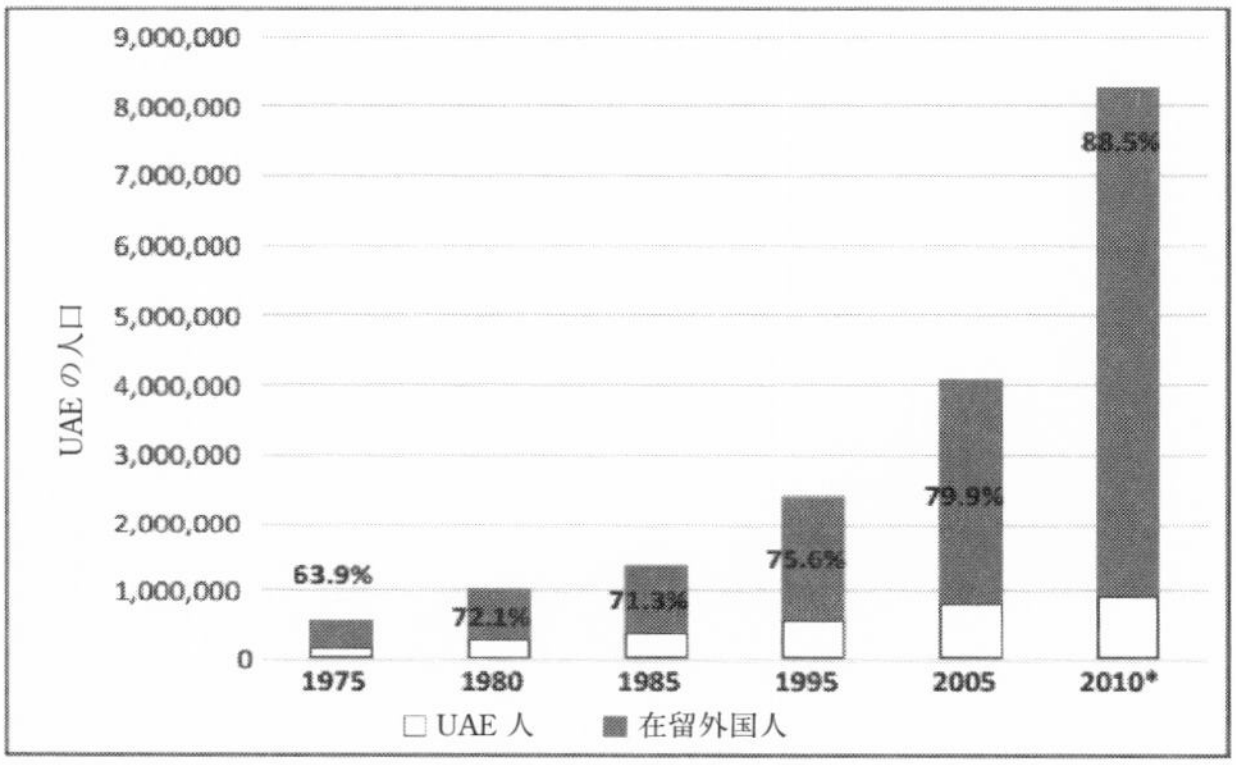

出典：湾岸諸国の労働市場と移民（2015年）

拠されていました。今でもまだ悪の遺産は広く残っています。

最近はようやく、幾つかのプロジェクトで技術移転と人材育成が進んでいます。自国民だけで造った人工衛星を宇宙に飛ばしたり、原子力発電を開発したり、職場留学させる企業も増えてきました。しかし労働者の9割が外国人では、なかなか日本のように若い層を育てる風習は根付きません。

上の図はＵＡＥの国勢調査で、外国人労働力のグラフです。労働力をいかに外国人に頼っているかが一目瞭然でしょう。

イジメ問題として次に挙げられるのは、ＷＨＯなど外国のシンクタンクが中東諸国を特に批判する、「人種差別と労働環境の悪さ」です。人種差別に関しては、〝自国民が無条件に高い役職と多額の給与をもらい、外国人は安い給与で大方の職務をやらされる〟というステレオタイプの批判ですが、実際には次頁の表を見

人種別による職種の平均月収・USドル

	欧米系	アラブ系	アジア系
不動産　マネージャー	＄2600	＄2400	＄1700
銀行支店　マネージャー	＄3100	＄2500	＄2300
広告宣伝クリエイティブマネージャー	＄3300	＄2700	＄2050

出典：JETRO発行「アブダビ・ドバイスタイル」より抜粋。現地リクルート会社NADIA調査（2015年）

れば、それが間違っていることがわかります。大企業で最も高い給与をもらうのは、ほぼ欧米豪人です。給与の額面が多くても手当てがつかないＵＡＥ人と、少ない額面でも諸々の福利厚生（住居・車・健康保険・子どもの教育費、年に一度の旅費、家族手当など）が全部含まれて雇われる外国人と、実質的に会社が支払う金額は変わりません。日本でも多くの外国人が勤務するようになったらわかるでしょうが、人種を理由に給与が決まったり労働の種類が決まる風潮は、ＵＡＥに限らず世界中であるものです。それは本人の学歴や職歴の差以上に、19世紀から続く支配国と被支配国の関係です。しかしＵＡＥでは完全に能力給なので、才能とスキルのある人は理想的な職場に移ればいいだけです。

労働環境に関しては、２０１１年頃にＵＡＥでも、労働条件の改善を要求して建築労働者たちが抵抗運動を起こした時期がありました。それがちょうど「アラブの春」と呼ばれる政治運動と同時期だったので、裏で大国のスパイが扇動しているのかと噂が持ちきりでした。隣国カタールでもバーレーンでも似たような運動があり、ＵＡＥ政府は職場に厳しい環境基準を設けました。しかし問題はそう単純ではありません。外国企業が同国人だけ雇えば、自国の労働環境をそのまま持ち込めます。例えば、インド系企業が本国から貧しいインド人だけを連れてきて、インド方式で運営するとします（中国系企業も旧ソ連系企業も然り）。イビリやイジメやカースト差別が蔓延するひどい方式でも、インドの常識が通用するので仕事がはかどり、ＵＡＥの基準には合わせません。それぞれの国には、人を働かせる最も効果的なやり方があるからです。それを欧米諸国のメディアがＵＡＥの労働環境として報道するので、話がややこしくなるのです。

加えて、旧支配国であった英国系の労働派閥（イギリス人＋英国の被支配国出身者）が、フランス系派閥（フランス人＋仏国の被支配国出身者）や、米国系派閥（米国人＋カナダ人）と職場の覇権を争う問題もあります。巨大企業ともなると莫大な利権とお金を動かせるので、派閥争いは熾烈を極めます。こうして外国人の集まる労働市場には、利権争いも、スパイの暗躍も、宗教的な排除（ヒンドゥー教徒がムスリムを追い出すなど）も、国外逃亡（まるでカルロス・ゴーンのように！）も当たり前に存在します。しかし人の命を左右するようなイジメはありません。もともと転職が簡単にできるので、嫌なら辞めればいい。違う国を探せばいい。新たな職を求めるチャンスは誰にでも拓けています。

天使は言う。「アッラーの国土は広大ではなかったか。あなた方はそこに移り住めたのではないか。」……。アッラーの道のために移住する者は、地上に広い避難所と、豊かな移住地のあることを知るであろう。（クルアーン婦人章97、100節）

社会のイジメ

UAE社会のイジメの大きな要因は、多国籍社会であるがゆえです。国籍や人種、宗教を基準にして、自分と同種以外の人を受け入れず排他的になるのが問題です。そういう意味では、マイノリティにあたる人々（日本人も含め）は群れを作らず、誰とでも上手に付き合っていると言っていいでしょう。人数が多い国民は、コミュニティの中に善きも悪しきも自分たちの習慣を持ち込んで、生活を続けています。

UAE国民社会に限って言えば、最たるものは血統主義でしょうか。自分の血族に他民族の血を入れるのは許しがたいと考える人はいて、私は外国人の嫁として何度も嫌な目に遭いました。しかしムスリムは神との契約において、徹底した個人主義です。最終的には、個人がどのように生きるかを、たとえ家族であっても干渉することはできません。

部族や血族の結束が非常に強いUAE社会ですが、ヨルダンやパキスタンなどによくある名誉殺人は起こりません。名誉殺人は、部族の面目を潰したり恥をかかせたと考えられた女性が、同族の男性に殺されることです。最終的に男性側が罪を問われないことの多い名誉殺人は、宗教よりもずっと地域的な風習や貧困が色濃く影響しています。なぜなら、同じムスリム社会でもそんなことの起こらない地域は世界中にたくさんあるし、21世紀になっても起こる地域はほぼ特定できるのです。

また部族やコミュニティで支え合っているとはいえ、ＵＡＥでは、日本社会のようにコミュニティによる私刑《リンチ》がありません。コロナ騒動が2か月も過ぎる頃、私を最も驚かせたのは、日本社会における差別と私刑でした。誰がどの集会に出て感染した、あの店は自粛中に開店した、とあらゆる非難をして感染者に謝罪を強要したり、ソーシャルメディアで名前や場所を特定します。おまけに命を懸けて患者を救っている医療関係者の家族を平気で差別したり、その子どもを学校や園に登校させない事態まで起きていました。世界から見たら、私刑を下す権利を自分が持っていると勘違いした人々を、社会的に放置したままでいる先進国は、日本以外にないだろうと思うほどです（ＵＡＥでは感染者の個人データ漏洩の罰金は60万円）。イギリスでは毎日午後8時に、フランスでは午後7時に、その日に従事した医療関係者に感謝の拍手を送っています。ウイルスは相手を選びませんが、人間が相手を選んで攻撃するなんて、いかに緊急時であっても許されることではありません。

他人を軽蔑して顔をそむけてはならない。地上を偉そうに歩いてはいけない。神は傲慢で威張りちらす者を愛されることはない。慎み深く歩き、声を低くしなさい。（クルアーン　ルクマーン章18～19節）

違うのが基本

アラブは基本的には遊牧民族で、移動を生活の基礎としています。悠久の歴史の中で、糧を得、水脈を探しながら、長い距離を移動し続けていました。ずっと昔の話じゃないの？　と思うかもしれませんが、私の夫の幼少時代（1960年代）でも、夏は必ず内陸に移動していました。内陸には二千メートル級の岩山があって、そこで降った雨や霧が地下水脈に届き、清水が湧いたからです。父親たちは海を離れられず、また海沿いに学校があったので、1年の半分以上は海の近くにいましたが、夏には湧き水を求めて移動しました。移動先はファラジ・ムアラというオアシスで、今では車で45分くらいでしょうか。かつてはラクダに荷物と年寄りを乗せて、一昼夜かけて徒歩で移動しました。昼は部族で集まって木陰で眠り、夜にラクダを進める――わずか50年前のＵＡＥには電気も水道もなく、ラクダとナツメヤシと海の恵みだけで生きていました。世界はいたくシンプルだったそうです。

移動を基礎とする民族は、たくさんの異民族と混血してきました。北はペルシャ人、東は海洋民族のオマーン人や貿易で関わるインド人、南はルブアルハーリという大砂漠を超えてイエメン人、西は地中海のトルコ民族、東ヨーロッパ民族、ロシア民族など、マッカを中心に常に雑多な人間が交錯する社会でした。『千夜一夜物語』に出てくる話も、中央アジア、アフリカ大陸、中国大陸、東欧諸国にまでつながっています。アラブ人は海洋民族でもあったので、ダウ船と呼ばれる帆船で遠くはアフリカの最南端まで、海流に乗って東南アジアまで、交易していました。そうした社会では一人ひとりの人間が違うのは当たり前です。「肌が黒い」だの「髪が縮れている」だの「背が低い」だのと言っていたら、共存することはできません。外見ばかりか中身も性格も違うのは当たり前です。それが前提なので、わざわざ特徴を取り上げてイジメる対象にはなりませんでした。

イスラームでは生物——植物も動物も——は神が命を吹き込むと教わります。神には緻密で正確な計画があり、決して偶然や間違いから何かを存在させること、発生させることはありません。人間はふつう動物や植物を見て、なぜシマウマはあんな模様なのだ、ハリネズミはあんな姿なのだ、イソギンチャクには毒があるのだ、と疑問や批判を持ちません。それと同様に、万有の神が創った人間の〝有《あ》り様《さま》〟に対して、ムスリムは疑問を抱かないのです。

人々よ、アッラーは一人の男と一人の女からあなた方を創り、諸民族と諸部族に分けた。これはあなた方を互いに知り合うようさせるためである。（クルアーン部屋章13節）

過酷な自然環境

気候も大きく影響しています。湾岸諸国のほとんどは砂漠地帯です。海岸線は居住地ですが、内陸は何キロにも渡って続く無味乾燥な砂漠です。海岸といっても海の砂がそのまま砂漠につながっているような地域で、気候の厳しさは変わりません。夏の海は風呂の湯ほどに熱く、よほど遠洋に出なければ魚も採れません。百年前に原油が発見されるまで天然資源はなく、気候は厳しく、人間が快適に暮らす環境ではありませんでした。

今では地球温暖化のせいか、夏の気温は優に50度まで上がります。真夜中でさえ40度を下らない日もあるのに、湿気ときたら90%にもなります。砂漠の国と思われているクウェートやサウジでは冬には雪が降り、オマーンの山岳地帯には霜が降ります。毎年春には砂嵐が起こり、年間雨量は100ミリ前後しかなく、地下水脈も枯渇しています。アラブ人はこうした自然を何世紀も集団で助け合って生き延びてきました。コミュニティを追い出された人間は、すぐに死んでしまうことは誰でもわかっています。それゆえ、どんな人間でも、部族を破滅に導く人以外は、コミュニティで受け入れて庇護してきました。他人を受け入れる寛容さは、世界でも類を見ぬほど立派であると私は思っています。

一方、日本では画一的な教育が戦後75年間も続きました。75年というと、現人口のほとんどが均一的な教育環境で育ったことになります。戦後の経済成長によって国は豊かになり法整備も進み、全国民をすくい取る保護政策はたくさん作られました。これは世界的にみると素晴らしい業績です。長い間、日本ほどすべての国民が大きな差がなく恩恵を分配されてきた国はないのです。しかし同時に、国家に保障されたベース（恩恵）が均一であればあるほど、すべての人間が同じ位置からの

1970年頃までは季節によって移動していた。

1950年頃のアラブ民族。

スタートで、あとは努力と勤勉さが将来を約束すると刷り込まれていきました。教育面でも突出したスキルや才能、異能、美貌、勘などを重視せず、平等性と均一性こそが権利をもたらすと教え続けました。当然増えるのが「自分との違い」を許せない人間です。そして出る杭をハンマーで叩く風潮、加えてそれを正当化するいびつな平等観が生まれました。

日本は島国であり長い鎖国政策もあったので、多くが似たような外見で、生活様式や価値観の違いも目立ちません。コミュニティの中で同一性を求めることは簡単です。開国からずっと激動の近代を誰もが同じように駆け抜けねばならず、明治維新と、近代国家づくりと、ふたつの大戦・復興と、その時々に起こる自然災害を経て、国民は同じように努力し苦労して報われてきました。

しかし21世紀もとうに20年が過ぎ、それぞれの波が打ち寄せられる岸辺がずいぶん違うことを人々は感じ始めました。その違いが「努力の結果」と考えるにはあまりに差があることを、誰もがようやく今気付き始めています。

神と自分はまっすぐにつながっている

すべてのムスリムには生まれてから亡くなるまで、両肩にふたつの天使がついています。天使はそれぞれの守護神といってもいいものです。右肩にのる天使は、その人が現世で生きている間に行った善行を帳簿に書き留め、左肩にのる天使は悪行を書き留めます。帳簿とは、天使がつけるノートのようなものだと想像してください。善行も悪行も逐一正確に記録されますが、一度やってしまった行為が結論を導くわけでもありません。失敗には埋め合わせのチャンスが常にあり、善行を積めば悪行が減り、巡礼で悔悟すれば罪が消え、クルアーンを断食月中に詠めば徳が7倍に追加され、まるでお得ポイントのように増えたり減ったりします。

啓典の民（ユダヤ教、キリスト教、イスラーム）の宗教は、共通して「世界の終わりの日」が来ると教えます。その日がいつかは人間にはわかりません。しかし未来のある時点で必ずその日はやってきて、「現世」が終わり、すべての人間（今生きている人たちや、すでに死亡した状態で待っている人たち）が神の審判を受けることになります。「来世」には天国と地獄のふたつの行き先があります。神は天使がつけた帳簿を調べて、どちらに行くか判断します。人間社会でやってきた、誰にも知られなかった善行や努力、反対に誰にもバレなかった罪や悪を、神は見逃すことはなく換算します。そして誰もが公正に報われるのが来世です。神は一人ひとりに意味を持たせて誕生させたのですから、一人ひとりの帳簿を正確に判断して、正しい来世に迎えてくれます。

視覚ではそのお方を捕らえることはできないが、そのお方にはすべてが見える。そのお方は人間の理解を超えているが、そのお方はすべてのことをご存じである。（クルアーン家畜章103節）

イスラームの教義は日本人には簡単には理解しにくいでしょうが、仏教にも似たような教えがあります。死者の行く場所は極楽か地獄に分かれていて、冥界の門番は閻魔大王です。閻魔さまは地蔵菩薩に化身した姿で生前の様子を細かく見ており、その人の生前の行いが書かれている閻魔帳をよく調べて、魂を正しい場所へ導きます。人の両肩には生まれながらにして「倶生神（同明神）」という二神が憑いており、守護霊となって生前の善悪を徹底的に書き留め、死後に閻魔大王に報告します。こう書いてみると、仏教でもキリスト教でもイスラームでも、神の伝えようとする多くが共通しています。

イスラームでは、神と個人がどのような契約を結んでいるかによって、信仰の度合いが違います。契約というとまるでサインした書類があるみたいに感じるでしょうが、そうではなく、それぞれの心で決める〝神との関係〟です。「私は神と信仰に対してこのように生きる」と決めることを〝契約〟と表現します。契約は人生に一度きり、たったひとつあるわけではありません。誰でもいつでも更新でき、若い頃はすぐに解約できるような適当な契約を結んだとしても、老年になると厳しいストイックな契約に変える人もたくさんいます。信仰がありながら酒を飲む人もいるし、断食しない人も、金曜礼拝に行かない人もいます。反対に、非常に厳しい原理主義を貫く人もいれば、神秘主義に傾倒する人もいます。その強弱については他人が強制できません。おもしろいのは、ひとつの家庭でもスカーフにニカーブ（目以外の部分を隠す布）をつけて手袋までしている母親と、ウエーブした前髪をスカーフからお洒落に出している姉と、頭に何も巻いていない妹が一緒に暮らしていたりすることです。いかに家族といえども、成人に達したら他者の契約については干渉できません。その点、非常に個人的な信仰なのです。

宗教イスラームではそれぞれの人間は神と垂直につながっています。その間には、キリスト教のような教会組織、仏教の本山制度や神道の氏子制度などは存在しません。位階秩序もなく、神父、僧侶、神主、法王などに当たる人もいません。あくまでも信仰は、個人が神と結んだ契約によって存在します。個人の純粋な信仰心が神とつながるのは美点ですが、組織がないゆえ、世界的に横のつながりが弱いことも、国際的な発言力が低いことも事実です。ローマ法王が全世界のキリスト教徒を代弁するように、全世界のムスリムを代弁する組織も役職もイスラームにはありません。そのため、アルカイダやＩＳなどの犯罪組織がムスリムを自称して、あたかもムスリムの代弁者のようにテロ活動をしてきたことに対し、国際社会を納得させるような強い発言をする組織も権威者もいませんでした。それは他者に影響されない純粋な信仰であることを示しながら、組織的な強さも政治力もない脆弱な集団でもあることも露呈しています。

もし地上のすべての人が信仰に入ることが神の御心ならば、彼らは皆信仰に入ったであろう。あなたたちは人々の意思に反して、信仰を強制することが出来ると思っているのか？　アッラーの意思なしには何人も信仰を持つことはできないのであり、そのお方自身が、悟ろうとしない者に疑心を抱かせるのである。（クルアーン　ユースフ章99～１００節）

アラビックコーヒー
客の前から動かずに、断られるまでお代わりを注ぎ続ける。

第6章

アラブに勝ち組負け組はない
――あるのはたったひとつの勝ちだけ

アラブ社会では聞くことのない「勝ち組負け組」

アラブ世界に住む人間にとって、人生の過程において勝つ負けるという概念は希薄です。そうした感情は一時的な、非常に刹那的な感覚と言ってもいい。なぜならムスリムにとって、最終的な目標は天国に行くこと、これに尽きるからです。それが完結されるのは、私たちが生きているこの世ではなく、来世です。だから基本的には、現世には「勝ち組」など存在しません。

ムスリムは一人ひとりの運命はすべて神様が与えると考えます。戦時下に生きる運命かもしれないし、貧困に喘ぐ運命、早逝する運命、大病を患う運命、あるいは健康で長寿、富者で幸運かもしれません。それらは人間の与り知らぬものです。それぞれにできることは、与えられた運命の中で出来る限りの努力をするだけ。その努力と感謝だけが天国行きのチケットです。

もちろん誰でも現世に希望はあります。成功したい、お金に苦労しない生活がしたい、自由を得たい、チャンスが欲しい、楽をしたい。しかし、それらは最終的な目標ではありません。〝天国へ行く〟と書くと、乗り物に乗ってスイスイ行けるようなイメージがありますが、まったく違います。私たちがいま生きている現世がレールで、生きる姿勢が乗り物（＝試練の場）です。財産もタイトルも権威も美貌もチケットを買うことはできない、と世界中のムスリムは知っています。

宗教が生活に根付かなくなってきた日本では、上記のようなことを書くと、「ひえぇ～洗脳されている」と感じるかもしれません。しかし、もともと宗教とはそういうものではないでしょうか。人間が行う寝食、労働、生理的な活動以上に精神を支えていくもの、目標や指針となるもの、生きがいを教えるもの、それが宗教です。宗教をまったく持たずに生きるなら、動物のように生きるのと同じです。本能に従い、食欲、性欲、快楽を求め、行動欲、繁殖欲を満足させて生きるだけで、生きがいや精神生活の豊かさなどは必要ありません。しかし神は人間に宗教を与えました。人間には宗教が必要だから、人類の歴史があるところに必ず宗教は存在してきたのです。

現世の生活は遊びや戯れに過ぎない。来世こそは真実の生活である。（クルアーン蜘蛛章64節）

勝ちとは？

「勝ち組」について、アラブ人に説明するのは大変難しい。そういう概念がないからです。泥棒のいない社会に、物を盗むことは悪いと教えるのは困難です。反対に、誰でも自由に他人の物を拝借できる社会で、物を勝手に使わない美徳を教えるのは容易なことではありません。

日本でいう「勝ち組」とは、「ある集団《コミュニティ》において、他人に比べてちょっと経済的に豊かで、ちょっと先んじていて、ちょっと得することのできる立場にいること」ではないでしょうか。どんな社会に属しても、他者より高めのステイタスを得ればいいだけです。生まれ育った領域で競い、進学就職結婚で属性が変わったら競い、場所や空間を移動すると競い……これにはキリがありません。次々と変わる社会の中で常に他者と自分を比較し、自分のステイタス（立ち位置）を確認し、躍起になってそれを引き上げようとする作業。そんな小さな「勝ち」に日本人はあくせくしています。ムスリムの考える「勝ち」とは壮大な違いがあり、比べることはできません。

もちろんアラブ人だって即物的です。金持ちになりたい。大きな家に住みたい。ステキな車を運転したい。職場で偉くなりたい。部下がたくさん欲しい。きっと世界のどの国民よりも贅沢が大好きでしょう。でも、それがイコール「勝ち」には結びつかないのです。

ある時、私の日本語学校で学ぶ生徒たちに、「日本人のよく使う〝勝ち組〟という言葉を説明して下さい」と言われました。少し考えて、「他人よりちょっとお得な人生を送ることよ」と答えたら、首を傾げて「では〝お得〟を説明して下さい」と言われました。うぅんと頭を捻って、「他の人より多くのお金やチャンスを持ち、他の人より楽な人生を送ることかしらね」と答えると、「他の人って誰ですか。自分の周りの人ですか。世界の万人ですか。その人たちに勝った結果、行き着く場所はどこですか」と訊かれました。生徒たちにとって、部族員を押しのけて得る利益や、万人に勝って行き着く目的地が、具体的には想像できなかったのでしょう。

ムスリムの目的地は「天国」に他なりません。それはそれは素晴らしい比喩で表現される、現世にはあり得ない愉悦の場所です。クルアーンの記述には、「真珠やルビーや宝石で飾られた楽園で、腐らない水の川、乳の川、美酒の川、蜜の川が流れ、採り放題の豊かな果実がなり、豪奢で美味な食べ物があり、永遠の少年と真珠のように輝く大きな目の乙女に仕えられ、錦の敷物の臥所《ふしど》がある」とあります。「朝も夜もなく、太陽も月もなく、そこに迎えられた人は健康で力漲る壮年のまま、至福や

日本語学校の生徒たちと一緒に。

快楽を味わうことができる。飢えや嫉妬や渇きや憎しみが存在しない場所」です。このような天国の描写を幼少から繰り返し説かれ、そこへ向かうために教義を守り感謝して生きろと教えられるのです。日本人は天国と言われても、曖昧な想像しかできない人が多いでしょう。同様に、アラブ人にとっては、日本人の考える即物的で具体的な勝ちを、天国の印象と一致させるのは難しいのでした。

アッラーの道のために、あなた方の富を使いなさい。自らの手で破滅に身を投じてはならない。善いことをしなさい。アッラーは善を行う者を愛される。（クルアーン雌牛章195節）

負けとは？

ムスリムにとって負けはただひとつ、地獄に堕ちることです。地獄とは火獄のことで、不信仰者や罪人が、沸騰する湯や火で永遠に焼かれ苦しめられ苛まれる場所です。クルアーンにある地獄の描写はそれはそれは恐ろしく、現世でのどんな苦難も試練も悲哀も、この恐怖に優ることはありません。

一方、日本人が「負け組」と称する対象は、アラブ人にもわかりやすいかもしれません。クルアーンには貧者、困窮者あるいは負債者というカテゴリーが具体的に出てきます。

イスラームの五行のひとつに「喜捨」があります。喜捨とは、ムスリムが常に一定以上所有する財産から、決められた割合を毎年支払う義務のことです。支払う先は神様。実際は人間の手を介して必要とする人々に配られるのですが、払う側はあくまでも財産を授けてくれた神に対して、その一部を払い戻します。

喜捨の対象（喜捨を受け取る側）には8つのカテゴリーがあります。最初にくるのが〝貧者〟です。貧者とは、その日の食べ物を得ることさえ出来ない人々。明日や明後日が心配なのではない、今日を生き延びるのに必死な貧困状態の人をそう呼びます。紛争地域を着の身着のままで脱出してきた難民などは、この中に含まれます。

次は〝困窮者〟です。今日の食事はあっても、必要な物を揃えることが出来ない人たちです。例えば、冷蔵庫や冷房機を今は持っているけれど、壊れたら新しく買えない人です。交通手段がない地域では、車がなくても死にませんが、なければ貧困から抜け出せません。そうした必需品も含みます。

その他の対象は、〝負債者〟、〝奴隷解放の道〟、〝イスラーム改宗者〟、〝ザカート管理者〟、〝戦士〟、〝旅行者〟となっています。クルアーンは7世紀に預言者ムハンマドを通して人類に下された神の言葉です。預言者は632年に死去していますから、それ以後に預言はありません。時代や社会が変わっても一字一句も変わりませんでした。ということは、喜捨の対象は七世紀に定められたカテゴリーのままです。現代社会に符合するかと問われれば、考えなければなりませんね。

奴隷ときくと、欧米で惨い歴史を刻んだアフリカ系黒人を指すと日本人は想像するでしょうが、アラブの奴隷は少し違います。もともとすべての人間は〝神の従僕《しもべ》〟と考えられているため、暗い印象がありません。敗国の勇者だって負ければ勝国の奴隷となったし、学を修めた身分の高い女奴隷もいたし、優秀な軍人奴隷がエジプトを300年間も支配した歴史だってあるのです。アラブの民話には、学問や芸に秀でた女奴隷（まるで江戸時代の花魁）や、軍の指揮官として活躍する奴隷なども出てきます。皆さんがよく知っているのは、『アリババと40人の盗賊』の召使いモルギアーナでしょう。彼女は主家の息子であるハーシムを助けて、盗賊が襲わないよう村の戸口全部に赤い印をつけたり、盗賊の隠れた壺に熱い油を注いで焼き殺したり、賢い女性として描かれました。最後にはその働きに免じて自由身分となり、ハーシムの妻となります。イスラームではこのように奴隷が解放される手段をつねに提示し、喜捨の対象としていたのでした（ラマダーンで意図的に断食しなかった者は、奴隷を一人解放すればよい）。

〝戦士（ジハーディスト）〟とは、戦争で敵と戦う人だけを呼ぶわけではありません。イスラームの財産や領土を守る戦いに加勢した人、誰かを助けるためにやむを得ず命を落とした殉教者なども含まれ、喜捨は遺族に充てられました。

〝ザカート管理者〟は、ザカートを徴収・管理・分配する仕事に従事する人たちです。

〝改宗者〟は、預言者ムハンマドが布教を始めた時、イスラームに改宗するのを地域社会が阻んで、苦境を与えられた人がたくさんいたからです。現在でも、こうした入信者を守るために喜捨をつかいます。

〝旅行者〟は今でいう旅行とは違います。旅客機も客船もない時代に、呑気に観光旅行する人はいませんでした。今なら旅はお金に余裕のある人の贅沢でしょうが、イスラームの興った7世紀から、交通手段が発達する19世紀半ばまでは、旅は遊牧民の生き方そのものでした。8世紀に急拡大したイスラーム帝国は、緑豊かな農産地にも領土を広げ、町と町を繋ぐ交易は栄えていきます。世界に散らばる博識者はマッカをめざし、巡礼とともに、人類の長い歴史で各地の人的交流を支えてきました。季節のキャラバンと呼ばれる大貿易旅団は、土地を離れられない人々のために別の町へ荷物を届けたり、別の町から物品や伝言を持ち帰ったり、大衆社会での重要な役割も担っていました。喜捨はこうした旅人の支援にも充てられました。

さて、以上の8カテゴリーが喜捨を恵まれる対象です。あなたはこうした人々を「人生の負け組」と考えますか？　お金を恵む人が勝ち組で、もらう人が負け組だと安易に判断するでしょうか。

> あなたたちの財産には、乞う者たちと窮乏する者たちの権利が含まれている。（クルアーン撒き散らすもの章19節）

あげる側

喜捨を払う側にいるなら、金額（率）は気になるところです。その率は7世紀から変わらず、微に入り細を穿ってルールが決められています。絶妙な点は、健康で普通の人間なら1年で無理なく挽回できる妥当性があることです。これほどの細かい計算が7世紀にあったことに驚きますが、預言者ムハンマド（人間）ではなく、神が決めたと思えば不思議はありません。

まず重要なのが、払う側がニサーブ（最低基準額）以上の財産を1年以上保有していることです。収入を生活費で使い切り、それ以外にまとまった財産がない人は払わなくて構いません。極端なことを言えば、たとえ巨額を稼ぐ人でも大人数を養って全部使ってしまうなら、払う義務はないのです。しかし余剰財産、持ち家や土地、切り崩さない貯金や株券などを所有していたら、義務が発生します。

ではその率をみてみましょう。財産が通貨なら価値の2・5％分です。年間で100万円の貯金があるなら2万5000円。無理のない率でしょう。1億円の純利益を出せる会社なら、250万円は高くはないはずだし、1年間かけてやっと10万円を貯められたあなたなら、次の1年間で2500円を稼ぎ戻すことは出来るはずです。

農産物なら天水で収穫したものの10％、灌漑施設で収穫したものは5％を喜捨します。設備投資をしたら半分なのです。商品であれば年商の2・5％、金なら5％、銀は2・5％が義務です。しかし埋蔵財貨には20%もかかります。イスラームは商売を大いに奨励しており、儲け＝汚いといった思想はありません。イスラームで禁止しているのはリバー（高利貸し）だけで、他人の不幸や窮乏を利用するリバーは卑劣な行為とされています。リバーによって富者はますます富者になり、貧困は底なしに増えて人間生活を破壊するからです。

信仰する者たちよ、倍にも何倍にもなる利息を貪ってはならない。（クルアーン　イムラーン家章130節）

あなた方が利殖のために高利《リバー》（不法な手段、贈賄、買い占め、その他不正の取引などによる利益）で儲けても、アッラーの元では何も増えない。しかしアッラーの慈悲を求めて喜捨する者には報奨が増加される。それで近親の者にしかるべきものを与えよ。また貧者と旅人にも。（クルアーン　ビサンチン章39節）

それと同時に蓄財も否定しています。イスラームにとって世の中の物資（富）は常に使われ、循環しているべきものです。循環することで様々な場所・段階で人を救うチャンスがあるからです。

富が死蔵されたら利用するチャンスを奪われているのと同じで、流通経済の効用がなくなることから、動かないお金に対しては率が高いのです。タンス貯蓄が上手な日本人には耳が痛いですね。

家畜なら種類にもよりますが、全体の0・8％～2・5％が義務になります。余剰財産にかかることから農耕や運搬に使われる家畜は計算に入りません。年間を通して牛30頭を保有していたら、1歳牛を1頭、喜捨するのが義務です。羊40頭の保有者なら羊1頭。ラクダ5頭の保有者は羊1頭。ラクダを26頭保有するならラクダ1頭。1年間で自然に再生できる率であることがわかります。

ラマダーンで正気を取り戻す

世界中のムスリムはラマダーン月の後半になると、喜捨《ザカート》の計算で忙しくなります。イスラームの暦は、太陰暦を使う〝ヒジュラ暦〟です。1年の日数は西暦より約11日ほど短く（約354日）、毎年少しずつずれていくため、季節との連動性がありません。喜捨の義務はヒジュラ暦にかかり、ムスリムは毎年巡ってくるラマダーン月を契機に支払います。2020年の5月は、ちょうどヒジュラ暦1441年のラマダーン月に当たりました。

その年の1月に中国の武漢で始まった新型コロナウイルスの影響で、世界の多くの場所は都市封鎖の真っただ中でした。UAEでも毎日何百人もの感染者が出て、3月からはショッピングモールもレストランも商店も閉鎖され、すべての学校で遠隔授業を始めました。不要不急の外出は禁止となり、集会・結婚式・祝賀も禁止、入国査証の発行も停止されました。3月25日に予定されていた空港封鎖は、知らぬ間に1日前倒しになって、24日未明に決行され、6百人ものトランジット客が空港に閉じ込められてしまいました。

4月になると感染者は激増し、ドバイ首長国は24時間の外出禁止令に踏み切りました。ひと家族につき3日に一度、たった一人だけ外出許可を申請できます。主要道路にある速度監視装置（ネズミ捕り）は、ハイウェイを走る全車両のナンバーを記録して交通警察に照合し、許可のない車には高い罰金を科しました。人々は家から一歩も出ないまま、暗い噂に翻弄され、どこぞの誰が感染した、近所の誰が亡くなったと囁き合います。テレビをつけてもラジオを聞いても悪いニュースばかり。世界中で感染者が増え続け、経済が逼迫し、医療が崩壊し、葬る場所のない死者が放置されている有り様は、人々を恐怖に陥れました。そんな中でイスラーム世界では断食月を迎えたのです。

しかしラマダーンで人々は目を覚ましました。しゃんと背を伸ばし、今はまだ自分が何を持っているかを改めて考え、神に感謝する心を取り戻しました。そして5月後半には喜捨額をできるだけ正しく計算し、信頼できる機関に預けたり、困窮者に直接手渡していました。

> **隣人がお腹を空かせているのに、満腹するまで食べる者は信徒とは言えない。**（ブハーリーのハディース）

今年、私は時間がたっぷりあったおかげでおもしろい発見をしました。現在はオンラインで自分の喜捨額が簡単に算出できるようになっているのです。例えば、国連難民高等弁務官事務所の運営するサイトに、「ザカート計算機」という欄があります。ここに自分の余剰財産を記入すると、義務となる喜捨の金額があっという間に出てきます。世の中は何て便利になったんでしょう！

そのサイトに試しに金《ゴールド》を1キロ所持と入れてみました。すると毎日変動する金のレートを基に喜捨額が出てきました。24金なら約15万円、21金なら13万円、18金なら11万円を払いなさいとあります。銀なら銀のレートで算出され、証券や現金なら2・5％の金額が表示され、少額だったら「ニサーブ以下なので無用」と出てきました。

それだけでなく、喜捨の対象まで選定出来るようになっていました。例えば、余剰財産を100万円と入れると、喜捨額は2万5000円と出てきます。そのお金でバングラディッシュにいるロヒンギャ難民を19家族、あるいはモーリタニアにいるマリアン難民を15家族、イエメンにいる国内難民を6家族、ヨルダンにいるシリア難民を1家族、支援できます。自分があえて選定しないなら、最も必要とされる場所にいる家族を支援すると表示されます。最後には支払いボタンをクリックし、銀行送金すれば完了です。その他にも、欧米のムスリム財団がつくる、喜捨額の算出サイトがたくさんネット上にありました。

もらう側

喜捨にはニサーブという最低限度額があって、ニサーブ以下の財産しか持たない人は払う義務がありません。とは言っても、一円一銭の差ですぐにもらう側になるわけではなく、払う義務がなくなるだけです。本章の前半で述べたように、喜捨をもらう対象は8カテゴリーだけです。自分が貧者や困窮者でないならば、喜捨をもらう権利はありません。以前、私の講演を聞いた日本人からおもしろい質問を受けました。「わずかな差で払う側になるなら、出費を多めに調節して、払わない側でいる方が得だと考える人はいないのでしょうか」。これには笑ってしまいました。なるほど、日本人にとっては確定申告と同じ感覚なのですね。

イスラームの喜捨を税金と考える人がいますが、それははっきりと違います。大原則が自己申告だからです、払わない人は一生払わないままでも、現世で罰せられることも社会的な私刑を受けることもありません。そう説明すると、「では払わない人が多いだろう」と大勢の日本人が言います。「実際に払っているのですか」、「額をごまかしたりしないですか」、「誰も咎めないんですよね」と続くのは、税金を納める日本人にとって大いに関心があるからでしょう。

イスラーム社会では、実際には多くの人がしっかり喜捨を払っています。なぜなら、払うことは〝喜び〟だからです。この点も税金とは大きく違います。今日の自分は喜捨を払える立場にいる、神は自分に能力と環境とチャンスと財産を与えてくれた、という喜びです。現在の日本では間近に極貧者を見ることはまずありません。実際それほど日本はいい国なのです。しかしアラブ世界にはまだまだ苦しい状況が溢れています。自分の国は豊かだとしても、同じアラビア語を話すアラブ民族が占領下にいたり、難民キャンプにいたり、苦境にいるのを毎日のようにメディアで観ています。自分の境遇をありがたいと感じる機会は周りにたくさんあるのでした。

ではニサーブ（最低財産限度額、あなたを富者ではないと規定する基準）とはどんなものでしょうか。7世紀の基準を現代に当てはめるのは難しいですが、とりあえず神の定めた額を見てみましょう。

金は20ディナール（ディナールは昔の貨幣）、銀は200ディルハム、乾燥穀物は653キログラム、羊は40頭、牛は30頭、ラクダは5頭。上記のうちひとつでも超過していれば喜捨を払います。あなたが大きなローンを組んだばかりだったり、病気の治療費、結婚式や学費などで大きく出費して、ニサーブ以上の財産を1年間保持できなかった年は、払わなくて構いません。金20ディナールが現在ではどれほどの額かわからないので、先ほどのザカート計算サイトで試してみました。すると4万円以上から喜捨の義務が発生していました。たかが4万円しか貯金がないとしたら、不安で眠れない日本人もいるでしょう。しかしイスラーム世界では、年間通じて4万円以上持っていれば、あなたは貧者ではないのです。

さて今のあなたは喜捨をもらう側でしょうか。それとも払う側でしょうか。最近不運が続いてもらう側であるとしたら、あなたは「負け組」なのでしょうか。反対に、ようやく商売が上向いて払う側となったなら、「勝ち組」に入れたと思いますか。そしてもらう側を「人生の負け組」と見下しますか。
ムスリムは人間を勝ち組・負け組とは決して評しません。なぜなら運命は神が与えるからです。困窮している人に対し、その人が怠惰だから、甘えているから、能力が足りないから、危機管理をしっかり整えないから、その苦しい運命を呼び寄せたとは考えません。ある程度の準備は出来ても、その先は神のみぞ知る、人智の及ばない領域があると心得ています。運命が自己責任なんて、神の領域を犯すほどの傲慢な考えなのです。

アッラーがあなたたちのために伸ばして下さった綱に、みんな一緒にしっかりとすがりつき、分裂してはならない。あなたたちに対するアッラーの恩寵を、感謝して思い起こしなさい。敵同士だったあなたたちの心を愛で結び付けて下さり、そのお方の恩寵によってあなたたちは兄弟になったのである。（クルアーン　イムラーン家章103節）

運命は入れ替わる

綺麗ごとばかりを書いてもしょうがない。本当を言えば、誰の心にだって困窮を恥じる気持ちはあります。以前、ＵＡＥの新聞でこんな記事を読みました。田舎町の小学校を視察したドバイ首長が、クルアーンを上手に詠んだ少年に「何か困っていることはないか」と訊きました（善いことをした国民に褒美として、首長が願いを叶えてあげるのがアラブの通例）。少年は「家に冷房機が一台しかないので、もう少しあったら幸せだ」と答えました。翌日、少年の家には各部屋に行き渡る数の冷房機が届けられました。その時のインタビューで、父親はこう述べています。「私は病気をしてから満足に働けないし、家族を支える十分な稼ぎの仕事も見つからない。私（の家族）はいつも一族の重荷で、ふがいない気持ちでいっぱいだ。しかし今日は私の家に冷房機が届き、首長に感謝している」。

プライドと名誉を最も大事にするアラブの父親がそんな心情を吐露するとは、よほど辛い人生を送っているのだと同情したものです。人生が自分の力ではどうにもならなくなる時は、誰にでも、いつの世にも存在します。運命を変えるためにもがき、疲れ、ただ流されようと諦める人もいます。しかしそれを「負け犬」とは呼ばないし、「負け組」とも評しません。

ムスリムは誰でも「一瞬で運命が入れ替わる」と教えられて育ちます。神への感謝を忘れれば、ある日突然、運命がひっくり返ってしまいます。『千夜一夜物語』には、かつての王子が運命が真っ逆さまに堕ちて貧しい遊行僧となって登場したり、大富豪の息子が全財産失くして乞食になっていたり、幸福だった王がワイフに裏切られて希代の殺人者になったり、ジェットコースターのような運命を生きる人間がたくさん出てきます。自分の運命が終身制だなんて誰も考えない。だからこそ14世紀もの間、人間の社会が発達しても礼拝は簡略化されず、経済を一時静止するかのような断食もなくならず、税を払いながらさらに喜捨も払ってきたのです。

今日の自分は喜捨を払える側にいても、明日はもらう側になるかもしれない。神様は人間を貧困でも試すけれど、金持ちにすることでも試している。自分が健康で働き、財産を得られたことを感謝して義務を果たすかは、喜捨によって一発でわかってしまう。義務を怠れば次は自分がもらう方になり、誰かが喜捨してくれるのを待ちわびるようになる。だから必ず喜捨を払うのです。神は、払い戻された40分の1（2・5％）の余剰財産を、人間の手を介して、再び貧しい側にまわします。

運命に逆らうものではない。寝つく前にいろいろ悩むものでもない。アッラーは我らの片目が瞬きする間にさえ、運命をそっくり変えることができるのだから。（アラブの詩より　作者不明、年代不明。最初の引用は『千夜一夜物語』に出てくる）

廻り廻っていく喜捨

2015年春、資本金の大きい企業の若社長だけが会員である経済団体がドバイに来て、ムスリム社会について講演する機会をいただきました。そのとき喜捨について詳しく述べたのですが、財産にかかる率や、喜捨が世界の経済全体に及ぼす影響について、皆さん大変熱心に聞いて下さいました。ヨーロッパには〝ノブレスオブリージュ〟という考えがあり、要約すれば「身分の高い者はそれに応じて果たすべき社会的責任と義務を持つ」という道徳観です。時代とともに身分制度も変わり、今では世界で何が身分を裏付けるか、明確な基準はありません。しかし、イスラームには非常に明快な基準（余剰財産）と計算方法（率）があります。喜捨によって、苦境にいるムスリムは7世紀からずっと救われ続けてきました。

では、もうひとつ、ここで簡単な計算をしてみましょう。

２０２０年3月、フォーブス誌が世界の長者番付を発表しました。新型コロナウイルスの影響で世界経済は大打撃を受け、億万長者は昨年より58人減って２０９５人です。彼らの総資産は昨年から50億ドルも減って8兆ドル、日本円では８６１兆円です。２０９５人のうち、米国人が６１４人、次に中国人が４５６人。普通に考えたらこの１０７０人の億万長者はムスリムではないし、実際にトップ25名の名前を見てもムスリムはいませんでした。同リストで多分ムスリムだと予測できるのは、中東や東南アジアの億万長者73名ほどです（資産を明かさないので、この中には湾岸諸国の首長家は入っていない）。

２０１９年版ではアラブ人の資産は全体の2％とあったので、そこに同値を当てはめてみます。すると２０２０年アラブ人の総資産は１６００億ドル、約17兆円になります。では年に1度の義務として、ムスリム億万長者たちが17兆円の２・５％を喜捨したとしましょう。単純計算では、コロナ禍で苦しんだ昨年のラマダーン中に、イスラーム世界では４２５０億円もの喜捨が、無条件で貧しい人の救済に充てられたのです。日本の国家予算（２０２０年一般会計）が１００兆円。東京都の予算（2020年一般会計）が7兆円ときけば規模がわかるでしょう。もし世界の億万長者が全員ムスリムだったら、と想像してみてください。861兆円の2・5％は、21兆円であることをここに書いておきます。

欲深さから救われている者は必ず成功する。（クルアーン騙し合い章16節）

努力には限界がある、人智を超えた結果がある

五行の教えはシンプルで合理的だと、最初に私は書きました。五行の順番も大事だと。喜捨が3番目にくる理由が納得できますか。1番目は「信仰告白」、はっきりと公にイスラームを信じると宣言しなければ、ムスリムとしての人生を歩み出せません。曖昧な態度では礼拝も喜捨も断食も続けられないことは、第2章で書きました。

2番目は「礼拝」です。毎日何度も神と向かい合っていなければ、人間はすぐに日常の忙しさや都合に紛れて、神から離れてしまいます。

そして3番目が「喜捨」。社会が正しく機能するには、人間同士が援け合いながら共存するしか道はありません。貧困の撲滅、人間は平等、根本的な解決を、などと言っている間に、貧しい人は

死んでしまいます。物資は動かなければ人を救えません。喜捨はどうしても必要なことなのです。

人間の努力には限界があると、常にムスリムは考えています。どんなに努力しても無理なことはある。人生の価値を「勝ち組・負け組」といった低劣な表現で表すのは醜悪です。そんな言葉を日常で平気で使う人は、それが驚くほど下品な表現であることを知るべきです。すべての運命を「自己責任」と結論づけるなんて、正しいことではありません。人間が他の人間に向かってそんな評価を下すことは、とても非人間的で、非情で、畏れ多いことなのです。

あなたの見ることができない13の敵――利己主義、傲慢、自惚れ、わがまま、貪欲、色欲、不寛容、怒り、虚言、詐偽、噂話、中傷――にジハードを布告しなさい。それらの敵に打ち勝ち、滅ぼすことができるなら、その時には目に見える敵と戦う準備ができたことになる。

（ガザーリーによって記録されたハディース）注：「13の敵」とあるが原本の記述には12しかない。

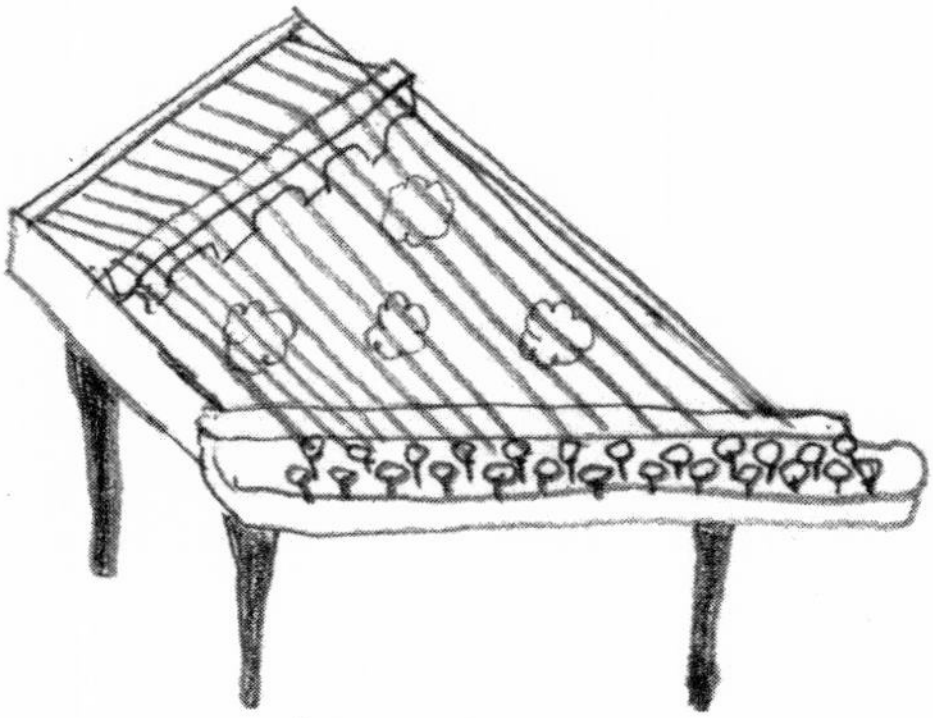

金属的な音を出す琴
カーヌーン

第7章

アラブにセクハラはあるか？

タイトルを疑問符にしたのは、セクシャル・ハラスメントは個々人の認識によって変わるので、簡単に定義できないからです。データと数値で洞察するので、読者自身が判断してください。

男女別々の社会構造

アラブ社会で男女を別行動に分けることは、欧米社会では「差別」と判断されることが往々にしてあります。フェミニスト運動からは最も糾弾されるポイントです。しかし、一歩下がって観察してみてください。男女が分かれて役割分担する社会は、それほど悪いものではありません。役割分担というと、〝男性は外で働き女性は家を守る〟というようなイメージを、日本人ならすぐ頭に浮かべそうですが、そういう意味ではありません。どちらかと言うと〝分業〟に近い。性別による職業の差異というより、同じ職業を性別でそれぞれ分ける、と言う方が合っています。例えば、女医は女性患者を診て、男性医師は男性の患者を診る。女性教師は女学校で女生徒を教え、男性教師は男子校で男性生徒を教える。大学も然り。職業訓練所も然り。運転免許教習場も然り。

受益者の性別で区別しない分業もあります。労働単位が小さければ、体力が必要な主労働（漁業や農業、牧畜産業）は男性が担い、収穫された物品は女性が管理し売っていました。単位が大きくなっても、優しい物腰や心遣いが必要な職種（看護婦、乳児院や幼稚園、障害児センターなど）の主労働は女性で、付随する移送や運搬などは男性が担います。

現在のUAEでは、それほど厳しく男女が役割分担していません。女性歯科医が男性患者も診るし、簡単な風邪程度なら男性医師が（それに同意した）女性患者を診ることもあります。女性パイロットが男性客室乗務員を指揮したり、女性社長が何人も男性労働者を雇っている場合もあります。先に発展していたクウェートやバーレーンならもっと男女一緒の場が多いでしょう。

家庭内労働者としての男性もたくさんいます。洗濯やアイロンを担当するのは女性だけと思ったら大間違い。アラブ男性の正装であるディシダーシャは、肩から踝まである長衣です。これを真っ白に洗濯し、皺ひとつなくアイロンをかけるのは重労働で、下男の仕事です（女性の衣服は女性メイドが担当する）。加えて男性コックもたくさんいます。大家族の食事を調理し運ぶのは重労働です。買い物となれば、港に併設された魚市場や動物の市場・屠殺場（臭くて危なくて暑い）まで行ける男性が適任です。庭師とドライバーを兼ねた下男もいます。家の仕事を担う男性は、日本で考えるよりずっと多いのです。

性別で分けた教育現場

イスラーム諸国の子どもたちが男女別々の場で育つ時、そこにセクハラは起きません。単一の性しか存在しないので、不美人でもデブでも背が高くても声が太くても、異性に嘲笑されることがありません。民族が雑多であると美醜の基準もさまざまです。アラブの美しさとは、肌が小麦色で適度に太っていて、眉がつながり鼻筋が真っすぐで、髪が濃くて長いのが基準です。ふーん、てな感じでしょう。

私がいつも感心するのは、子どもの教育にも分業がしっかりと活きている点です。たとえば息子の学校の父兄会には父親が行きます。父親が不在であれば伯父、叔父、あるいは年の離れた兄が代わりに行きます。近親家族に男性がいなくても女性は決して行きません。小学校でもそうなのです。男子の教育は男性同士（男性教師、父親と男性家族）で話し合い、不品行なら正し、必要なら説教し、男同士で恥をかかせないよう、どんなに嫌な相手でも公ではリスペクトするよう、部族の共通の理念で育てていきます。アラブ社会には〝男はこうあるべし〟という通念があります。生活費を稼ぐから始まり、部族を危険から守る、家族の責任者となる、外部との交渉を担うなど多様な役割があり、それらをしっかり教えていくのです。私はすぐ近くにある息子の公立小学校にも中学校にも、一度も行ったことはありませんでした。息子の担任が誰なのか、友人にどんな子がいるのかも知らずに過ごしました。

反対に、女子校の母親会には母親か伯母、叔母、あるいは年の離れた姉が行きます。男性は絶対に行きません。母親会では女生徒の問題を心おきなく話します。青春期に起こる身体の変化や情緒不安、ネットやモバイルに発した男女交際の対処法なども、同性同士なので十分に説明・相談することができます。

最初は小学生の息子の学校に行かないことに、私はずいぶん戸惑いました。家で息子といつも一緒にいるのは私なのに、学校問題では蚊帳の外なのです。父兄会に出席する夫に「ちゃんとこの問題について訊いてきて」とか、「息子の態度をよく説明してもらって」と送り出しても、全然返答を持ってこない（あるいは全然ちがう対応をする）ことはよくありました。母親が心配することが、男性社会ではまったく問題でなかったり些事であるのを、そのうちに知るようになりました。そして次第に、息子のことは父親（男性社会）に任せておけばいいと思うようになりました。

これは大変いいシステムです。日本のように教育は母親に任せっぱなしという父親がいないからです。いかに仕事が忙しかろうが、大臣であろうが医者であろうが、息子を育てるのは父親（男性社会）の責任で、他に替われる人はいない。アラブ社会では、様々な責任を一生をかけて父親と息子が背負っていきます。男女平等を主張して、今ある分業制を退け、男女を同じ責任と役割で教育してみても、アラブ世界では通用しないのでした。

性別（役割分担）の効用

アラブには女医がたくさんいます。男性より多いかもしれません。生物学上男女が同数生まれ、同じように病気になるなら、医者は男女同数が必要になります。外科や整形、脳外科、麻酔科などはどちらでも構いませんが、産婦人科、皮膚科、内科は女医でなければ診察を受けない患者がいるので、国は女性が医者になることを奨励しています。都会の大病院では両性の医師を雇っても、人口の少ない地方の医局《クリニック》では主に女医（両性の患者を診ることができるから）を雇うため、女医の需要は高いです。

２０１８年の日本で、医科系大学を受験する女子学生の得点が大学側に操作され、減点されていたことが大問題になりました。それもひとつの大学だけではなく、複数の医学部で同じような操作をしていました。大学側の主な理由は、「女医は遅くまで勤務できないから」、「地方勤務しないから」、「出産を機に辞める人がいるから」などでした。日本では一人前の医者を育てるより、コスパのいい医者を育てたいようですね。医者といえども厳しい（ある意味、非人間的な）勤務が前提で、それができないなら最初から要らない――こんな偏った主観で入学を操作するのは信じられないと、海外メディアでは大騒ぎでした。アラブでそんな操作をしたら、女医が育たなくて大問題になります。アラブ社会にとって女医は絶対に必要な存在なのです。

教育現場も女性勤務者の数がずっと勝っています。義務教育には男子校と女子校は同じ数だけ必要です。アラブ諸国で女性教師の数がずっと多いのは、幼稚園は女性が担当すること、男子には軍事学校や警察学校、職業訓練校など特別教育機関がある（ために女子校数の方が多い）こと、単一性という環境を好んで（女性が働く時に）家族から支援が得やすいことが理由です。アラブには女学校の数だけ女性の校長や教頭がいます。日本には果たして男性と同数の女性校長がいるでしょうか。あるいは男性医師と同数の女医がいますか。どちらの社会が閉鎖的で女性蔑視で機会不均等だと思いますか。*

妻たちはあなた方の衣であり、あなた方は妻たちの衣である。（クルアーン雄牛章187節）

中東北アフリカ地域（MENA）の男女格差を調べる

「アラブの女性は虐げられている」と考える日本人はどのくらいいるでしょうか。もしかしたら大半の人がそうかもしれません。その根拠は簡単に列挙できます。欧米が（天然資源を持つ）中東を脅したり責めたりする情報の中に、たくさん見出せるからです。
例えばこのような項目です。

①イスラーム地域では、男性一人につき女性４名まで妻を持てる
②女性は教育の機会がなく家に置かれる
③女性は教育がないゆえに仕事が見つからず、経済的な自立ができない
④家長が女性を含む家族全体を支配している
⑤高給でハイスキルな仕事は男性が占有している
⑥実際に女性が自ら訴えたセクハラ問題が、世界のメディアで流れている

では、それぞれに数値的な根拠をもって解釈を試みたいと思います。

①イスラーム地域では、男性一人につき女性４名まで妻を持てる
欧米諸国が最も忌み嫌う「４人妻」の法的根拠は、クルアーンがもたらされた7世紀の時代まで遡ります。当時のアラブ世界は戦争だらけで、戦争未亡人が溢れていました。未亡人とその子ども

＊　２０１8年度より、ＵＡＥの教育改革によって公立小学校1～4年生までは男女共学となった。

に〝身元保証〟と〝経済的援助〟を与える救援策として、経済的に豊かな男性が複数の妻（とその連れ子）の面倒を看ることが奨励されました。

男性は妻を4人まで持つことが許される。しかし、全員を公正に扱えないならひとりにしておきなさい。（クルアーン婦人章3節）

こうクルアーンに記されているため、現在でも一夫多妻制度を正式に認めるイスラーム国家が、世界に45か国あります。しかし実際には、ほとんどの夫婦は一夫一妻制を保っており、他の理由――子どもが生まれない、家を継ぐ男子が生まれない、妻は病気である――などの場合に複数の妻を持つ人はいます。UAEの例で言えば、9割の夫婦が一夫一妻でしょうか（2番目の妻を持つ人はだいたい最初の妻とは離婚している）。しかし世代やエリアによって傾向は分かれ、60年代以前に生まれた男性、山間部や内陸の奥地に住む男性は多妻を持つ傾向にあります。子孫をたくさん残し、その中から優秀な人材を家長にする遊牧民の習慣が残っているからです。出身部族（東海岸の部族、多産な移民の末裔など）によっても異なります。またこれは世界中で同じでしょうが、ある一定数の男性は、複数の妻（日本や欧米なら不倫相手）を死ぬまでとっかえひっかえ保持する傾向があります。クルアーンには、以下のような人間観察までちゃんと出てきます。啓典でも高尚な文章がきら星のように並んでいるばかりでなく、俗っぽい表現や修辞もたくさん登場します。

あなたたちは、いかに妻に公平にしようと望んでも、到底出来ないであろうが（クルアーン婦人章129節）

MENA全体では、国を統べる王様やスルターンは、より優秀な子孫を多く儲けるために、今でもたくさんの部族から複数の妻を娶る習慣を続けています。一般庶民となると、キリスト教徒の多い地中海地方（シリアやレバノンなど）では一夫一妻制が普通です。経済格差の大きいエジプトやサウジでは、高収入の男性が複数の妻を持つ権利を主張します。女性未婚率の高い国（ヨルダンなど）では、それにかこつけて、あたかも解決策のように正当性を主張する人もいます。

2019年3月に、イスラームの最高学府、カイロのアズハル大学のグランドイマーム（最高位の法学者）が一夫多妻制を批判しました。「一夫多妻の9割の事例が、妻や子に対して不正を犯している。クルアーンと預言者ムハンマドの行為を歪曲して理解した典型である。一夫多妻制は、〝妻たちを公正に扱うことができるならば〟という条件つきの権利であって、条件を満たせないなら権利は消滅し、〝禁止事項＝ハラーム〟になるということをわかっていない」。そう言いながらも、アズハル最高学府は結局、チュニジアのように一夫多妻制を法的に規制する動きはとりませんでした。

ムスリム男性の一割が複数の妻を持つと考えて、他世界と比較してみましょう。あなたの国で男性の1割は、妻以外の女性と関係を持っているでしょうか。1割というのは多い数字に見えますか、

ＭＥＮＡ地域における識字率の男女比（2004年～05年調査）

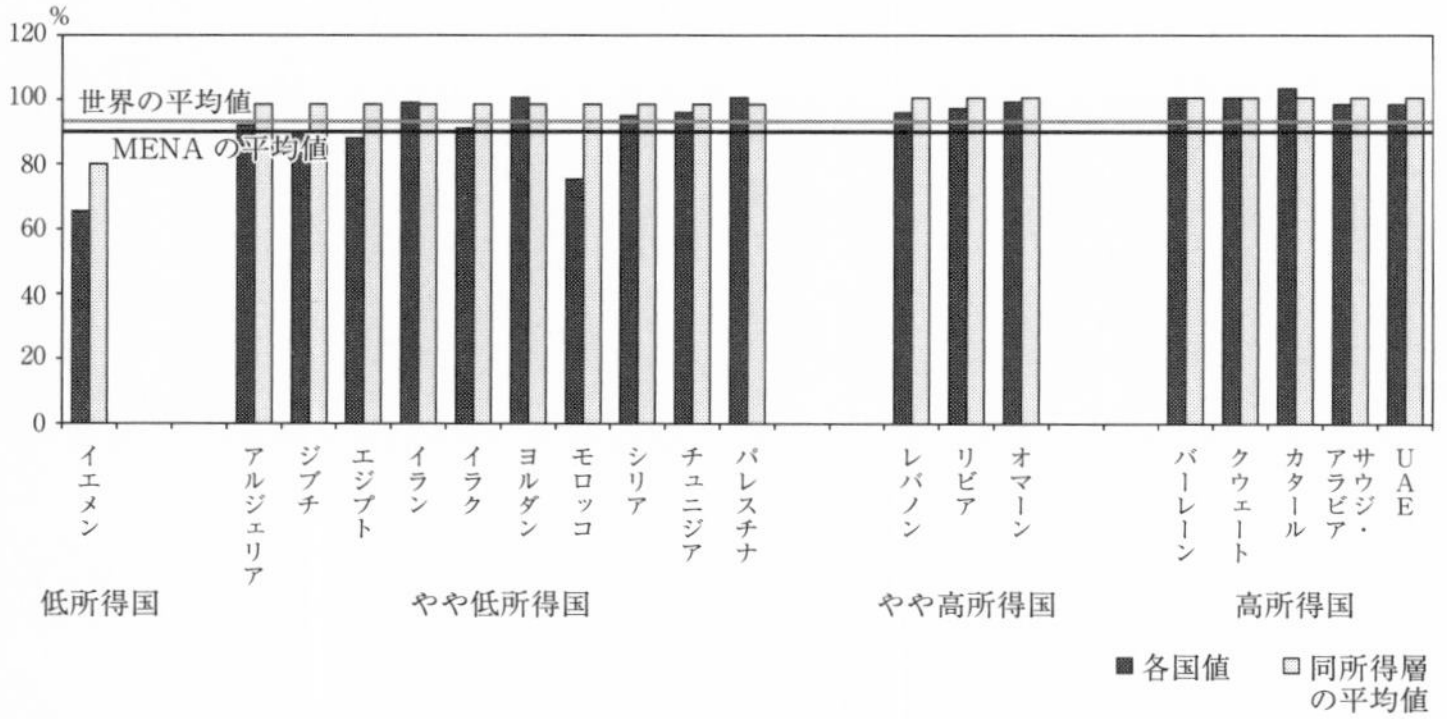

出典：世界銀行（2008年）

それとも少ないと思いますか。１割の男性が抱える不倫相手を正式な妻と認めたら、残り９割の女性がみんな不幸になるでしょうか。それとも、結果的にはより多く（生活を看てもらう女性と子どもたち）が救われると想像しますか。自分が当事者ならとんでもない想像ですよね。

②女性は教育の機会がなく、家に置かれる

ひとくくりにＭＥＮＡといっても、そこには豊かな産油国と、内戦下の貧国、かつては文化の成熟していた地域と、新興国が混ざっています。これをひとつの数値で表せば多くの矛盾をはらむので、識字率についてのデータを見ながら地域別に分析してみましょう。

上の図は世界銀行が発表した、男性の識字率を１００として女性の識字率を表した棒グラフです。

表全体を横切る２本線は、上線が世界平均（男性識字率１に対する女性識字率の数値０・93）、下線がＭＥＮＡ平均（男性識字率１に対する女性識字率の数値０・９）です。縦に

伸びる黒い棒は各国の数値で、2本の横線より上に突き出ていれば、その国の女性識字率は世界平均値の0・93より、あるいはMENA平均値0・9より高いことを示しています。これによると、中東で世界平均より識字率が低いのは、わずかに5か国（イエメン、ジブチ、エジプト、イラク、モロッコ）だけです。内戦中のイエメンは、男性に比べて女性は60％しかありません。

では薄い灰色の棒に注目してください。その国と同程度の所得を持つ他国の平均値です。両方の棒がほぼ同値なら、「その国特有の事情や背景がなく、世界共通の経済事情による識字率」であることを意味します。灰色の棒と黒棒に差があれば、経済的理由以上にその国独特の背景があります。例えばイエメンは、同等の所得を持つ他国（男性に比べて女性の識字率80％）より、20％も低い。そこにはイエメン特有の男尊女卑の風習や女子の若年結婚などが関わっていると考えられます。

この表は、国家歳入によって4つのグループに分かれており、左端は歳入が極端に低い国家（イエメン）、左から2番目は比較的歳入の低い国家（アルジェリア以下10か国）、右から2番目は比較的歳入が高い国家（レバノン、リビア、オマーン）、右端は歳入が非常に高い国家（バーレーン以下5か国）になっています。

20世紀のMENA地域の激動の歴史を見れば、現時点の歳入だけで格差を語ることはできません。例えば、左から2番目のグループは、中世からイスラーム帝国の大都市（バグダッドやカイロやカサブランカ）として栄えたエリアで、豊かで教育が普及していました。1854年に鉄道を走らせたエジプト（1825年の英国からわずかに30年遅れただけ。日本の鉄道開設は東京横浜間1872年）も、859

ＭＥＮＡ地域における初等教育（１～９年生）の男女比。2004～05年調査

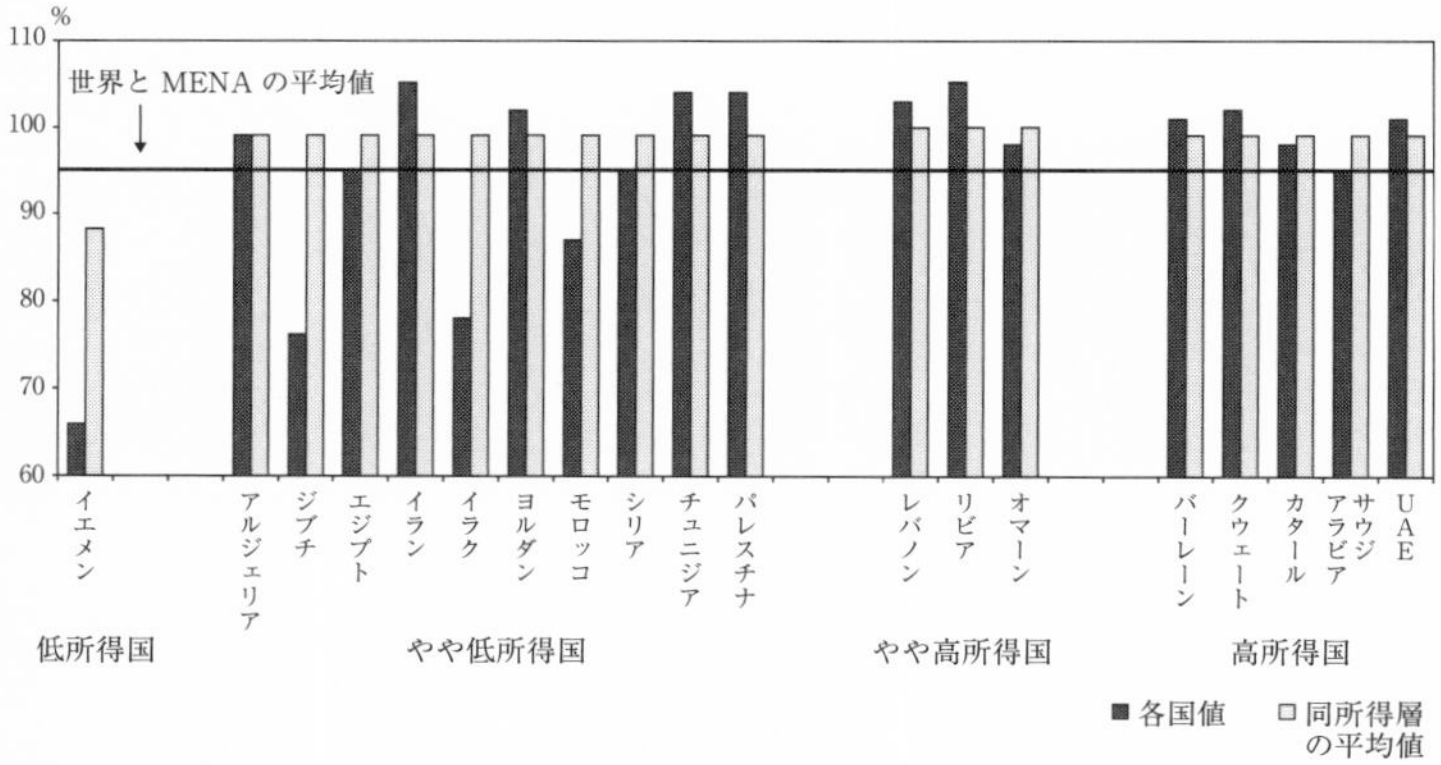

出典：世界銀行（2008年）

年に世界最古の大学を創設したモロッコ（おまけに創始者は女性だった！）も入っています。右端の歳入が最も高い国家は、20世紀に地下資源が発見された新興国で、第2次大戦後までは、砂漠の厳しい環境下で学校どころか市庁も病院もなく、識字率は世界最低だった地域です。

上の表は同じく世界銀行が発表した、ＭＥＮＡ地域の初等教育（1～9年生）の現状です。女子が初等教育を受ける比率を男子と比較したグラフです。

横棒は、世界とＭＥＮＡの平均値（男性1に対して女子の就学率は0・95）です。縦に伸びる黒い棒は、各国の状況。例えば、イエメンは男子を１００％とすると、65％の女子しか初等教育を受けていません。同様に世界の基準値をかなり下回っているのがジブチ、イラク、モロッコです。他の地域（イラン、ヨルダン、チュニジア、パレスチナ、レバノン、リビア、バーレーン、クウェート、ＵＡＥ）では、女子の就学率が世界平均よりもはるかに

ＭＥＮＡ地域における高等教育（大学や専門学校）の男女比

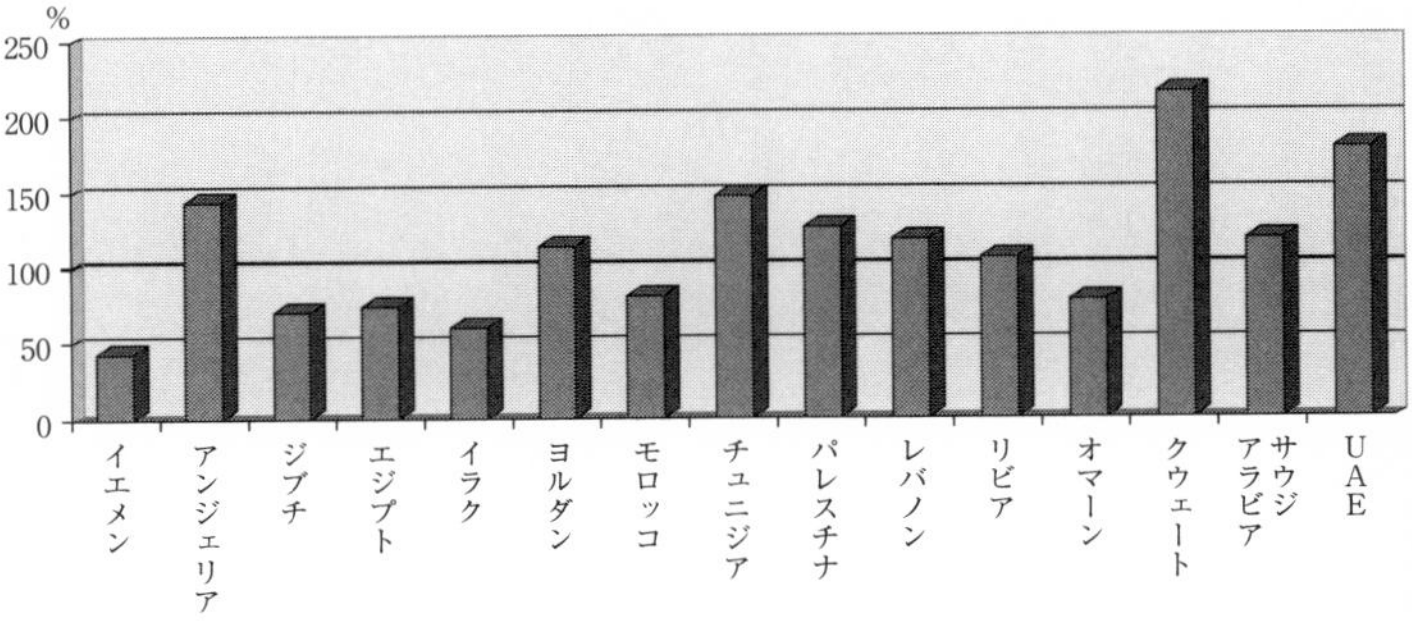

出典：世界銀行統計（2013年）のデータを基に著者作成

高くなっています。つまり中東諸国に住む女の子たちは、世界のどの地域に比べても、しっかり学校に通っているのです。

　このグラフが作られた頃から、ＭＥＮＡ世界では大きな政治的変化がありました。２０１１年から「アラブの春」という抗議運動がアルジェリア、チュニジア、リビア、エジプトと勃発し、何十年と続いた長期独裁政権を倒しました。しかし、その後に力のある政府が現れず、混乱を深めています。さらに２０１５年頃には膨大な難民の移動とテロ活動が起こりました。それらが始まる前、独裁政権が危ういながらも一応の安定期を保っていた時期の、２０１０年の世界銀行の調査結果をご覧ください。

　上の表は大学・大学院・専門学校の就学率です。男性１００に対して女性が就学する割合を示しています。各国の縦棒が、横線の１００に達すると男女同等に就学していることになります。クウェートを筆頭にアルジェリア、チュニジア、パレスチナ、ＵＡＥで女性の割合が突出しています。バーレーン、ＵＡＥ、リビアにおいてはＳＴＥＭ分野（科学、テクノロジー、エンジニアリング、数学）の半数以上が女性に占められています。

かつて世界銀行が調査を行った２００５年、ＭＥＮＡの高等教育（特にイラン、ヨルダン、レバノン、サウジアラビア、チュニジア、パレスチナ）では、女性が男性よりはるかに成績がよかったために、大学入学の男女比を制御する必要さえ出てきました。例えばイランでは、すべての大学機関で男性30％、女性30％の入学枠を確保し、成績の良い者から残りの40％を埋めることにしました。そうでないと好成績の女性陣に独占されてしまうのです。医学部、歯学部、薬学部では男女比50％を課した国もあるのですが、女性の社会進出を阻む要素として物議を醸しました。２０１８年度のＰＩＳＡ（ＯＥＣＤ生徒の学習到達度調査）によると、理数分野、科学分野、読解力のどの数値でも、他の先進国と同様、ＭＥＮＡ諸国では女性が高得点をとっています（日本は反対）。伝統的に女性の分野とみなされてきた社会・教育・芸術分野で女性が高い割合なのはもとより、中東では工学系や理学系でも高い割合を占めています。

インフォメーション・テクノロジーへのアクセスを男女比で比較すると、教育の男女差が激しい国ほど格差があります。２０１７年の調査では、バーレーンとＵＡＥでほぼ９割の男女がアクセスを持っていながら、トルコでは男性６割、女性は４割しかアクセスを持たず、エジプトでは男女とも３割しか持ちません。

ＵＡＥに限って言えば、最も学生数の多いＵＡＥ大学は、女性81％に対して男性19％という比率です。その中でもエンジニア系の学部は女性71％、男性29％。医学部になると、女性76％、男性

24％。教育学部の男性はゼロ。男性の大学就学率・進学率が低い理由は、働きながら通う男性が多いことと、女性の方がずっと成績がいいからです。

家長制が最も厳しいサウジアラビアでも、サウジ国内の大学（合計106万人）では女子学生の数が男子学生より多く（2015年、女性51・8％）、大学院で勉強している女子学生も多数（2万4千人）います。世界57か国に留学しているサウジ女子学生は約3万5千人（2020年）で、米国が最も多く1万8千人、次いで欧州6千人となっています。

アルカラウィーン大学

2020年の日本の大学生（高等教育進学者）は290万人で、女性比率は統計が始まって以来一番高かった44％です。海外留学する日本人学生は、男子約4万6千人（約40％）に対し、女子は約6万8千人（約59％）。そのほとんどが1か月程度の語学留学で、1年以上の正規留学はわずか138人となっています（2018年、日本学生支援機構調べ）。サウジの人口は3千万人ですから、その4倍以上の人口を持つ日本に比べても、高等教育への進学率や女性比率、海外留学比率が高いことがわかります。

このような数値と調査報告を読んだ後にも、アラブの女性が社会的にも家族にも虐げられ、学問への道を阻まれていると信じますか。

ここで中東モロッコにある、世界最古の大学をご紹介します。西暦859年に創設されたアルカラウィーン（Al Qarawiyyin）大学で、ユネスコやギネス世界記録にも登録されています。現在でも運営され、8千人ほどの学生が在籍しています。何よりも驚くのが、創設者であり学長である人物が、ファティマ・アルフィフリというムスリム女性であったことです。

知識を求める者に、神は、天国への道をお示しになるだろう。知識を積んだ者と、たんに神を崇拝する者の輝きの違いは、すべての星の明るさをも凌駕する満月の輝きに譬えることができる。知識を求めよ。知識を持つ者は、善悪の区別を理解することができる。知識は、天国への道を示してくれる。それは砂漠の中でも、たった一人でいても、知る辺のまったくないところにあっても、私たちを助けてくれる。それは、私たちを幸せへと導いてくれる。それは、貧困に苦しんでいる私たちに力を与えてくれる。それは、私たちを敵から守ってくれる。知識をもった人のまわりには、自ずと友だちが集まってくる。学者のインキは殉教者の血にも増して尊い。知識の探求はすべてのイスラーム教徒の務めである。（預言者ムハンマドの言葉）

③女性は教育がないゆえに仕事が見つからず、経済的な自立ができない

高学歴の優秀な女性たちが労働市場に参加しているかといえば、実際はそうではありません。これを学術的に〝ＭＥＮＡの逆説（MINA PARADOX）〟と呼びます。

世界銀行の調査（２０１８年）では、学位を持つ多くのアラブ女性が労働市場に参入せず、ＭＥＮＡは世界最低の女性労働参加エリアとなっています。概略すれば、５人に４人のアラブ女性が労働参加していません。何故でしょう。

それには地域的な、また社会的な分析が必要です。ＭＥＮＡにはいろいろな国があると書きました。次頁の表を見ると、イラクやイエメン、パレスチナといった紛争地域では女性に限らず全体の失業率が大きく、男女比を分析する意味がありません。戦時下では女性は外出を好まず、仕事も限定的なため、まずは稼ぎ手である男性が職に就きます。

高等教育の就学率が高いのに所得が少ない国（エジプト、ヨルダン、モロッコなど）では、個人商店や家庭内での労働がグラフに反映されないことが大きな要因です。中小企業や家族商店には給与の出ない仕事が多く、世界銀行の調査は給与の発生する労働だけが対象なので、女性の労働が就労率に含まれない場合が多い。これは時代や地域に限らず、古今東西の根源的な女性の問題ともいえます。

自然環境も大きく影響しています。多くの女性がＳＴＥＭ分野の学問を修めても、実際には土木、

MENA地域における労働参加の男女比

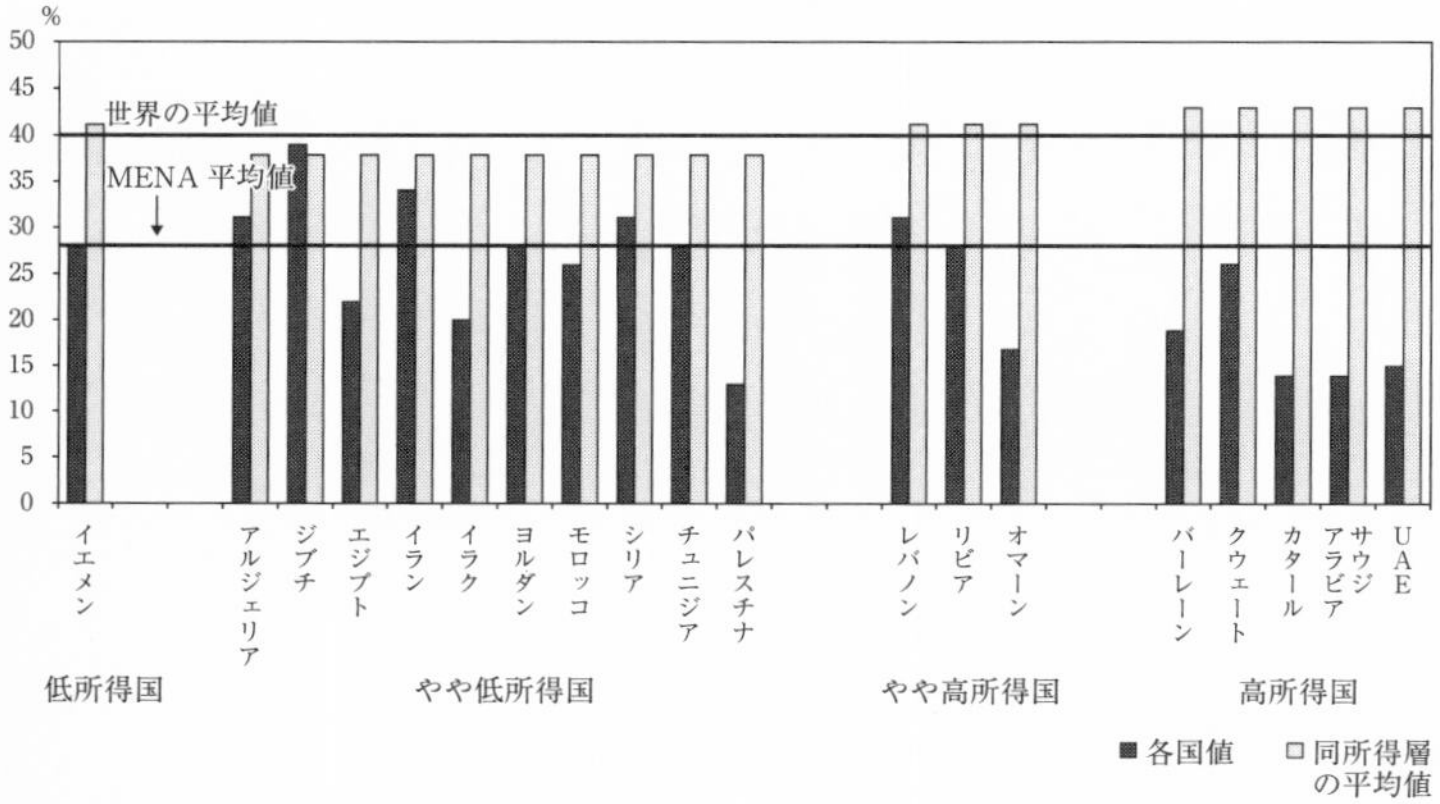

出典：世界銀行（2008年）

建築、都市開発、遠洋地などの現場で女性が働くのを家族は薦めません。灼熱を浴びながら、あるいは砂塵にまみれて健康を害してまで働くのは、女性の役割ではないと考えるのです。サハラ砂漠を含む北アフリカや、山岳地帯のパキスタンやアフガニスタンでも、同様の分業制が見られます。必然的に女性の働く場所・職種は少なくなります。

顕著なのは、高等教育を受ける女性の数が突出している産油国で、女性の就労率が男性の10分の1程度なことです。労働参加が極めて低い。多くの女性は学位とキャリアを積んでも、15〜20年でリタイアしていきます。医者や大臣でも50歳代で働いている女性は少ない。あえて働かなくても男性の収入が十分あるのも理由ですが、単なる女性の贅沢病と考えてはいけません。産油国が豊かになり始めたのはわずか半世紀前。極端に貧しい国からいきなり豊かになる時、今までの過酷な労働（水汲みや家畜の世話、薪集めなど）から女性を解放することが、家長の夢となるのはよくあることです。その時期が過ぎて初めて、男女参加の正しい分析ができていくでしょう。

女性の権利は神聖である。女性たちが与えられた権利の下に扶養されることを保障しなさい。
（預言者の最後の説教）

④一家の男性家長が女性を含む家族全体を支配している

分業を前提とする文化圏の女性は、働く場所を必ずしも選べないと書きました。こう書けば、「学位を持った一人前の成人女性が働くのに、いったい誰の許可が必要なのか」と、フェミニストはいきり立つかもしれません。家長制が女性の独立を阻んでいるのだ、男性の独断と特権が女性を虐げる根源なのだと。

ではここで、イスラームの家長制度を説明します。部族性の強いアラブ民族は、家族を最小単位として社会が成り立っています。家長が家族を率いて、長老が一族を率いて、首長が部族を率いて、その生活や安全を保障するのが習わしです。イスラームでは男性が家族の衣食住に必要な物をすべて提供する義務があり、女性は家庭を管理（子どもの世話、老人のケア、健康管理など）する義務があります。危機管理の責任を負う男性は、危険な地域や場所、時間、人間関係などに鋭く目を光らせ、

ＭＥＮＡ地域における国政参加の男女比

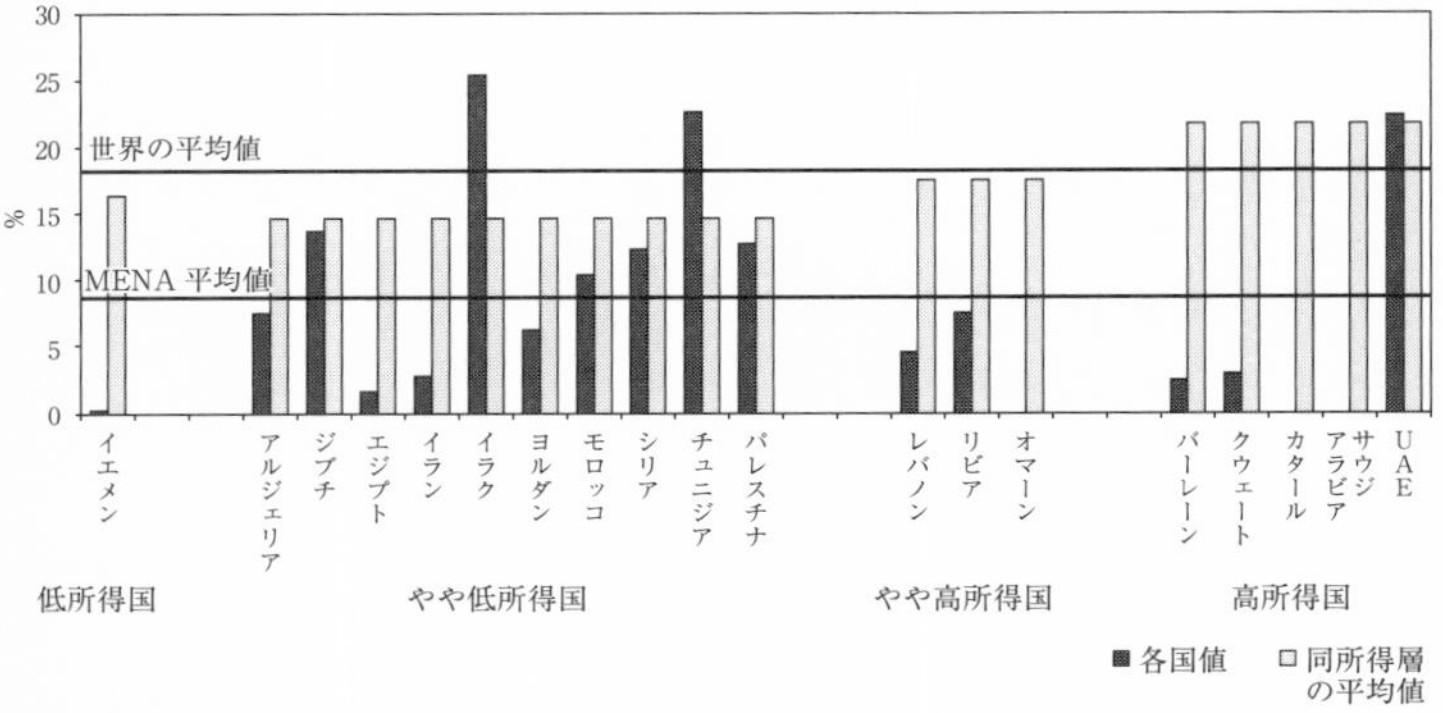

出典：世界銀行（2013年）

小さな芽を最初から摘み取ろうとします。その領域は自然環境や天候などに留まらず、物質、時空間、関係性などすべてを含みます。家長は部族構成員の行動の可否を決める権限を持ち、それゆえに女性がその権限を越えることは難しいといえます。

つい50年前まで半遊牧的な砂漠生活をしていた中東では、部族から離れることは「死」を意味しました。どんな生物でも、水もシェルターもない場所で独りで生きることはできません。部族は独自の風習と戒律に従って集団で動いており、個々人の希望や欲望を追求して生き残る道はありません。現代でも、部族を率いる男性や部族長には一族の安寧を保障する責任があり、同時にそれを行使する権限を持ち続けています*。

⑤高給をとれるハイスキルな仕事は男性が占有している

上の表は国政に参加する男女の比率です。ＭＥＮＡ地域は世界平均（18％）に比べても各段に低く（9％）、イエメン、オマーン、サウジ、カタールにはそもそも数値が存在しません。これらの国では国政も分業化し、男性社会で担われていることを意味しています。女性進出が顕著なのはイラク（2005年の31・5%から下がり25・5%）、チュニジア（22・8%）、UAE（22・5%）です。UAEは2005年まで0%だったのが、2008年には劇的に上がり、閣僚25名中に4人の女性が入りました。現在（2021年）では33閣僚のうち9名が女性です。

では日本を見てみましょう。2019年の「世界経済フォーラム」が発表した男女平等度世界ランキングで、日本は153カ国中121位と先進国中最低です。特に足を引っ張っているのが政治参加。戦後1945年にマッカーサーの肝いりで採決された婦人参政権から75年も経ちながら、女性閣僚比率は188か国中171位（2019年）。女性管理職比率は12%で、東南アジア諸国のマレーシア、フィリピン、シンガポールよりも格段に低く、アラブ諸国の比率（11・1%）と同水準でした（アラブ諸国の女性就労率10〜20%に比べると、日本女性の就労率は46・5%もあるが）。

＊これはセクハラ問題というよりパワハラ問題である。絶対的な権限を握る家長が経済的・肉体的に弱い立場の女性・子ども・老人などの弱者を支配するシステムは、保守的な社会であればあるほど根強く残る世界共通の問題である。たとえば家庭という場を離れ、男女が同等に働くアラブの一般企業には、パワハラ問題は起こらない。

男は女の保護者、扶養者である。神が男に女よりも強い力をお与えになったからである……

善良な女は従順に、神がお守りくださっているものを夫の不在中も守る。（クルアーン婦人章34節）

⑥実際に女性が自ら訴えたセクハラ問題が、世界のメディアで流れている

旧宗主国の人間は、旧従属国に自分たちの常識を強要する態度を捨て去れないことがあります。ドバイのような大都市《コスモポリタン》でさえ、国際社会を巻き込んだ事件、批判は後を絶ちません。以下はすべて、当事者の欧米女性が判決後に控訴した事例です。

・２００８年、混雑するドバイの海岸でセックスしていた英国人カップルが逮捕され、公衆衛生法違反、婚外交渉、無許可飲酒、警官への暴言の罪で3か月の禁固刑と罰金を課され、国外追放となる。
・２００８年、オーストラリア女性がＵＡＥで集団レイプに遭い、婚外交渉と無許可の飲酒の罪で、11か月の有罪判決、罰金、国外追放となる。
・２０１０年、ドバイでキスしていた未婚カップルが1か月の禁固刑と罰金、国外追放となる。
・２０１０年、英国女性がホテルでレイプされ、婚外交渉と酔っ払いの罪で罰金、国外追放となる。

・2012年、英国女性がホテルで3人の男性に集団レイプされ、無許可飲酒の罪で有罪判決、国外追放となる。
・2013年、ノルウェー女性がホテルでレイプされ、婚外交渉と無許可飲酒の罪で12か月の禁固刑と罰金、国外追放となる。

「性被害を受けた者が罪人扱いされるなんて！」と怒るのは当然ですが、もちろん男性はもっと厳しく処罰されています。欧米メディアはこうした事件を格好の材料として、UAEがどれほど女性蔑視で旧弊な法制度を持つ国かを大々的に報道し、「これは氷山の一角だ」と述べています。

しかし事実を読み進めば、次々と疑問符が浮かびます。未婚の女性が深夜過ぎまで飲んで酔っ払い、ホテルの部屋に男性（友人・同僚など）を誘い入れてレイプされる例がほとんどで、同意か不同意かはわかりません。ムスリムの基準からしたら、同意以外の何ものでもなく、イスラーム国家に来て「女性としてなぜそこまでしたか」という問題が付きまといます。

アラブ諸国では宗教に根差した生活規範を子どもに教え、（外国人でも）住民はその基準を守って生活しています。旧宗主国の人間はどうしても「自分の常識が優っている」と考える癖が抜けません。トピックが男女関係だけだと見間違うのですが、たとえば他の常識を当てはめると分かり易くなります。泥棒はいけないと教える日本で、「私の国では泥棒なんて大したことではない。力のある者が勝つのです」と外国人が泥棒し、平気で逃げようとしたら、「それは日本では許されない」

と思うでしょう。あるいは、信号が赤なら車は止まると教える日本で、「私の国は信号待ちしていると暴徒に襲われるので、赤でも止まらず走り抜けるのです」と主張する外国人がいたら、「それは日本では通用しない」と怒るはずです。主張を変えられないなら国外退去してもらうしかありません。そう考えれば、上記の男女問題も理解しやすくなるはずです。

以下はアラブ女性が訴えた事件で、記憶に残る人もいるのではないですか。

・2017年4月、クウェート旅行中の24歳のサウジ女性が、強制結婚を拒んで逃亡し、トランジットのフィリピン空港で保護される。オーストラリアへの亡命を希望したが、外交官の叔父2名を含めた男性家族が迎えに来て帰国。無理やり飛行機に乗せられる様子がビデオで流される。

・2019年2月、43歳で4児の母であるUAE女性が、(自分のクレジットカードを使うとバレるため)見知らぬ男性に航空券購入を頼んでマケドニアへ出国。マケドニアの難民センターで保護される。夫からの家庭内暴力を訴え、欧米への亡命を希望する。

・2018年9月、18歳と20歳のサウジアラビアの姉妹が、スリランカで家族旅行中に逃避。トランジットの香港で保護され、父親と兄を牢獄の監守になぞらえて自由のない環境を訴え、オーストラリアへの亡命を希望する。

・2019年1月、19歳のサウジ女性がクウェートで家族旅行中に、独りでオーストラリアへ逃避。トランジットのタイ空港で保護され、父親の暴力と強制結婚を国際メディアに訴え、カナダへの亡命を果たす。

見出しだけ読めば、アラブの男性は専横的で狂暴で恐ろしい悪魔のように感じるかもしれません。しかし冷静に考えれば、逃避を試みた多くが休暇で外国旅行をしている最中だったのです。そんな横暴な父や夫が、家族のために大枚をはたいて海外旅行を提供してくれるでしょうか。彼女たちのお決まりのセリフは、「強制結婚から逃れる」ためや、「牢獄のような家族」で「奴隷のような扱い」を受けていることです。しかしそれは逃亡する側だけの主張で、真偽はわかりません（実際は逃亡する労働者なども決まったパターンの主張をする）。国家が大学の費用まで負担し、家長が義務として生活費を稼いでくれ、裁判官の前で花嫁自身がサインしなければ無効となる結婚の法律があり、努力すれば女性が社会で働く道が拓かれている国家に住んで、それでももっと自由が欲しいという女性は確かにいます。浮気する男性が人口の1割もいるように、要求が止まらない女性だって人口の何割かはいるのです。しかし事件の後日談を伝えるアラブのメディアを読めば、笑ってしまいます。

・24歳のサウジ女性→2人の外交官の叔父が迎えに来てリヤドに帰国。翌日、フィリピン政府とサウジ政府は「完全に家庭内の問題」と発表。空港で暴れる様子を見た人は驚いたろうが、UAEなど出稼ぎの多い空港ではよくある光景である（我が家でも以前に、自国で犯した犯罪を隠してＵＡＥに出稼ぎにきたメイドを知らずに雇ってしまい、翌日に慌てて自国に送り返そうとしたら、空港で暴れられ叫ばれ怒鳴られ柱にしがみつかれ、恐ろしい目に遭ったことがある。最後は警察を呼んで処理してもらったが、あの部分だけを見た人なら、我が家はとんでもない専横家庭だと思うことだろう）。

・43歳のＵＡＥ女性↓「本人の弁を信じる根拠がない」としてマケドニア政府は亡命を拒否。女性は家庭内暴力から逃れるために離婚を求めていると主張し、過去にバーレーンで知り合った若い西欧男性に航空券を購入してもらった。男性は「純粋に人権を守るべく購入した」と主張するが、すぐに消えている。この報道は全国紙には一切なく、世界中の航空機や船舶のクルーが組織するサイトだけで紹介されており、その理由は、機内で普段通りに働いていたクルーを逃亡補助罪に問われないように布石を打ったと思われる。

・18歳と20歳のサウジ姉妹↓親からもらったお金を50万円ほどを貯め、逃げる機会を何年も待っていたという。「サウジでは女性は奴隷と同じです。人権を否定されて、常に身の危険がある。今私たちはやっと自分の人生を生きています」と喜びを語る。２０１９年2月に亡命が認められる。

・19歳のサウジ女性↓札付きの不良娘として有名だった。亡命後、家族は恥を忍んで、娘の飲酒や裸まがいの恰好でパーティに行き男性と遊んでいる写真を公開し、勘当を言い渡す。サウジの国立人権協会の責任者は「サウジの一部の不良女性が家族の価値観に反抗するのを、一部の国が扇動しているのは驚きだ」と発言している。

（国連人権団体は、サウジ女性の亡命希望者は２００５年の１５１名から２０１９年には２０００名に増えたと発表している）。

「そんなこと言ったって、双方が真逆のことを主張しているのだから真実はわからない」と思うかもしれません。では先入観を取り払って、皆さん自身が考えて下さい。

日本には親に虐待されたり、親と共存できなくて家を飛び出す少年少女がたくさんいます。その数は10代と20代を合わせ毎年3万5千人以上です。彼らは天涯孤独になって帰る場所を失ったのではない、理由は何であれ、自ら家を出た人たちです。日本には独りで見ず知らずの町で生活できる環境があるので、家出も可能です。ネットカフェやマンガ喫茶で寝泊まりしながらその日暮らしで働く人もいるし、見知らぬ誰かに依存して生きる人もいます。生活は不安定で犯罪に巻き込まれるケースも多く、２０２０年のコロナ禍でこうした宿泊場所が閉鎖されると、行く場所を失い、さらに危機に瀕しています。こうした少年少女には、親がかりで外国旅行して、親の金を使って旅行先から逃走し、海外の支援団体を頼って亡命する選択肢はありません。そんな交渉力があるなら、最初から生計の道をいくらでも見つけられるでしょう。

アラブ・イスラームの部族制度では、たった独りでいる（出自の不明な）人間（女性）をそのままにはおきません。必ず血族を探し出して保護する体制になっています。親と価値観が合わず、家長の専横から逃げたい女性が一番早く確実に成功する方法は、上記のように、欧米メディアに「イスラームの女性虐待」と騒いでもらい、亡命を援けてもらうことです。イスラームを叩く広告塔になれば、親から援助がなくても、欧米の人権団体が最後まで面倒を看てくれます。それでも自由が欲しかったというなら、今まで持っていた特権を捨てるしかありません。国籍も、生計の道も、家族や国家からの援助も失って得た自由は、実は、自分が広告塔となる不自由さで買ったものなのです。

善行をするものは、男性であれ女性であれ真の信仰者である。彼らはみな楽園にはいり、誰一人不当に扱われることはない。（クルアーン婦人章124節）

地域社会の風習との混同

女性が就学や就労の機会も少なく、給与も自由も少ない地域は、確かに世界に存在します。それがたまたまイスラームの国々と重なっている事実も否めません。しかしその根源的な理由が、宗教イスラームにあると勘違いしてはいけません。多くの地域が、その風土や生活習慣、しきたり、迷信、貧困から、女性を抑圧する生活様式を残しています。

たとえば「名誉殺人」は、女性家族が一家の名誉を汚したと考える男性家族が、その女性を殺しても罪に問われないという大きな人権問題です。確かにイスラーム国家であるヨルダンやパキスタンに多いものの、同様のことがヒンドゥー社会のインドでも頻繁に起こっています。しかし湾岸諸国や東南アジア諸国（世界最大のイスラーム国であるインドネシアやマレーシア）では起こりません。

小さい女の子が身売りするような幼児結婚も、貧しいアフガニスタンやイエメンでは今でもあります。かつての遊牧社会は生理が始まった女性を一人前とみなし、13歳くらいで結婚させ子どもをたくさん産んで一族の人数を増やすことを奨励しました。しかし２０２１年現在でそんな価値観を持つ国はありません。主たる要因は貧困です。

アフガニスタンの女性は、顔どころか頭部全体を隠すブルガを被りますが、同じムスリマであるトルコやレバノンの女性は髪を出して生活しています。サウジ女性の多くは、自国内では髪を覆っても、外国に出たら覆わない人はたくさんいます。１９３０年代のエジプト映画には、肩や脚をむき出しにしたドレス姿の上流階級の女性がたくさん出てきます。しかし二度の大戦や中東戦争、エジプト革命などを経て、今ではほとんどのエジプト女性が長いスカートをはき、髪を隠して外出しています。何百ページもあるクルアーンには、女性にスカーフの着用を促す記述はたった1か所しか出てきません。そこだけに要因を求めるのは、あまり根拠がないように私には感じられます。

信者の女たちに言うがよい。視線を低くして貞淑を守れと。外に表れ出るものの他には、彼女たちの美しさや飾りを目立たせてはならない。そして、ベールをその胸の上にかけなさい。

（クルアーン御光章31節）

その地域の持つ風俗、気候、経済状態、時代背景が、男女格差や不平等の原因である場合が往々にしてあり、特定の宗教と関りがあるかないかは、私たち自身の知識や判断力に委ねられています。私たちは色眼鏡をはずし、誘導するメディアに流されず、物事を公正に判断する訓練を積んでいかなければなりません。

最高の宝とは良妻である。良妻とは夫の目を楽しませ、夫の言葉に従い、夫の留守の間財産をしっかりと守る人である。そして最高の夫とは、妻をこの上なく大切にする人である。

（アブー・ダーウードとイブン・マージャのハディース）

あなたたちはあなたたちの妻に対して権利を持つが、彼女たちもまた、あなたたちに対して権利を持っていることを覚えておきなさい。アッラーの保証のもとに、アッラーのお許しを得て妻として娶ったことを覚えておきなさい。妻によくし、親切に扱いなさい。彼女たちはあなたたちのパートナーであり、あなたたちに託された助力者なのだから……。（預言者の最後の説教）

第8章　アラブに過労死はない

アラブが持つ3つの時間

アラブの生活には3つの時間があります。「ノーム」（＝就寝、休息の時間）、「ラーハ」（＝憩いの時間）、「シャグル」（＝労働、勉強、糧をかせぐ時間）です。

ノームは身体を休めて生き返らす時間です。厳しい自然環境に生きる人間にとって、休息は大切で、自分を労わり養う時間を十分に取ることが、すなわち生き続ける知恵です。身体を休めることが重要なのは、何もアラブに限ったことではなく、日差しが強いイタリアやスペイン、熱帯雨林の東南アジア、常夏のポリネシアにも共通しています。

ラーハは家族や友人と一緒に過ごし、憩い、安全でリラックスした暖かい時間です。これは人間にとって最も貴重な価値ある時間で、このために人生があると言っても過言ではありません。ラーハを持たない、あるいは大切にしない人間は、大事な価値観を手離しているとアラブ人は考えます。家族と過ごす時間は、神から授かる宝のうちで、最も慈愛のあふれるバラカ（神からの恩寵）なのです。

シャグルとは糧を得る、働く時間です。そこには勉強、訓練、準備、後始末など、その人の果たすべき役割（子どもなら勉強、成人なら仕事）全体が含まれています。特筆すべきは、シャグルはラーハのためにあるのであって、決して逆ではないこと。労働それ自体は憩いの時間を作るためであって、憩いや休息をとるのが労働のためではないことです。あくまでも糧を得るための労働。シャグルが人生の目的になるなんて、アラブ人は考えてもいないのでした。

もし24時間をこの3つに分けるとしたら、日本人はどのように配分するでしょうか。就寝を削って勉学に充てる、憩いを犠牲にして労働に充てる、労働が一日のうちの大半の時間を占める、なぜなら労働（勉学）は自己を証明するため、生活を向上するため、未来を確実にするためです。就寝は成果の後にもたらされ、憩いは労働によって十分な糧を得られた後にはじめてやってくる……そのように考えないでしょうか。

われはあなた方を両性に創り、また休息のためあなた方の睡眠を定め、夜を覆いとし、昼を

持っている時間の違い

私は結婚する前、25年間日本に住んでいました。東京の一般家庭で生まれ育ち、大学を卒業して就職しました。小さい時から結婚するまで、他者と競うのはそう特別なことではありませんでした。勉強、受験、進学、就職、就労、習い事など、子どもが多い時代に競争は日常です。バブルに向かって突き進んでいた右肩上がりの経済と重なり、より楽しく、より格好良く、より高等の、よりよい条件の、と競争の目標は明快でした。

私は大学時代にたくさんの冒険をして、世界の僻地を探検しました。そのために本を読み、語学を学び、体力を養い、さまざまな訓練をしました。世界の宗教を研究し、ガイドブックを漁り（80年代は海外旅行の情報は限られていた）、目標金額をアルバイトで稼ぎました。周りの友人も同じように目標に向かっていくのが風潮でした。日本経済が30年にも及ぶ低迷期に入る手前で、努力＝結果とまだ呑気に考えられていた時代です。若者人口があれだけいたのに、能力や努力に差がある人にもたくさんの受け皿がありました。また受け皿が足りなければ、声を挙げてもっと必要だと言えた時代でした。よく遊びよく働き、「家族のために切り上げて帰宅する」なんて考えたこともなかったのです。

しかしラーハが人生で最も大切な時間であることを、私はアラブにきて初めて知りました。わずかな時間でも勉強や仕事や訓練をする癖が抜けなかった私に、アラブでの結婚生活はさまざまなことを教えてくれました。まず肩の力を抜いて鷹揚に生きること。無理な努力は無用なこと。時間を長期的に捉えること。それは夫の労働の仕方を見ても明らかでした。

結婚した1990年代初頭、アラブ社会の働き方はほぼ2シフト制（民間企業は午前と午後の2シフト。省庁は午前のみ1シフト）でした。夫の仕事は朝7時に始まり、午後1時半に終わっていました。2時にはもう家にいて、一緒に昼食をとるのです。それが本当に不思議で新鮮でした。昼食が一番ボリュームのある食事で、必ず家族で一緒に食べるものだと言われてさらに驚きました。「それじゃ、いつ働くの？」と喉から出かかりましたが、省庁の就業時間は1日6時間半と決まっていたので、「そういう国なのか」と納得しました。なにしろ暑くて仕方がないから、午後には身体を休めなければいけないのでした。

夫は昼食をとると午睡して、日暮れの礼拝の時間に起き出します。私にも午睡を勧めますが、私は慣れていませんでした。夕方に外出しても、娯楽のない国で行く先がなく、砂漠を運転したり海岸に座ったり、目的のないドライブばかり。テレビも英語のチャンネルは少なくて放送時間は短く、夜12時には国歌とともに放映終了でした。趣味をしようにも材料が手に入らず、1日は長く退屈で、お金を使う場所も機会もなく、勤勉や邁進といった概念はすっかり宙に浮いていました。

当時の夫の趣味は、出始めたばかりのコンピュータを組み立てることでした。大学で情報工学を修めた夫は、大きなコンピュータをテーブルの上に置いて、さまざまな部品を買い込んでは好みに作り変えていました。幼い長男を膝に置き、まるで大人同士のように「このコードをそこにつないで」とか「ヘッドフォンをつけて外国の相手に話してごらん」と言っていたのを覚えています。そんな風にあれこれ試行錯誤する時間が十分にあったと、今思い返すと不思議です。明日が早いんだからもう寝たら、などと私は一度も言ったことがありませんでした。

ＵＡＥはまだ週休１日制で（１９９８年まで週末は金曜だけ）、木曜日の午前中は仕事も学校もありました。日本で完全週休２日制になったのは１９８０年代後半だったでしょうか。ＵＡＥの方がずっと遅くまで週休１日だったのに、時間はたっぷりありました。毎日陽の高いうちに夫が家に戻るので、１日の半分は自分たちのものだったのです。

アラブの就労改革

90年代後半からＵＡＥでも〝働き方改革〟が謳われて、就業時間が変わっていきました。最初の大きな変化は、民間企業の多くが２シフト制から１シフト制に変わったことでした。小さな商店は今でも午前と夕方に店を開きますが、普通の企業は終日勤務に変わりました。これは大きな変革で、単に時間が長くなっただけでなく、人々の心理にも大きく影響しました。それまでは労力を2度に分けて働いたのに、新しい制度では家に戻って休むチャンスもなく、ずっと集中して働くのです。午後1時半までだった全省庁の勤務時間は、2時半に延び、2000年を迎えると8時間就業となって3時になりました。

市民からの批判は並大抵ではありませんでした。働く者の不満が最も大きいのかと思ったら、実は母親からの不満がずっと大きいものでした。「父親抜きの昼食になってしまった。一家の主が食事にいないなんて家庭崩壊だ」、「子どもたちは父親と過ごす時間が少なすぎる。父親は子どもの学校生活や友人関係を把握できなくなった。労働のために家庭が犠牲になる」という具合い。父親が昼食に参加しないことがこれほど批判されるなんて、私にはまったく驚きでした。

その後にも次々と改革はやってきます。UAEではしばらく前まで、職種（小さな商店、仕立屋、散髪屋、水道工事屋、美容師、大工など）によっては運転免許が認可されませんでした。しかしビジネスを活性化し、国内で発生する報酬を国内の消費にまわすために（それまでは出稼ぎ外国人が自国に送金するだけだった）、どんな職種でも車を持てるように変わりました。当然、道路は大混雑です。2000年代の10年間は人口が年によっては年間100万人も増加していた時代です（UAEの人口は1995年の280万人から2010年までに約600万人も増えた）。幹線道路の拡張、都市部にメトロ造設（2009年完成）、駅と居住地をつなぐバス路線の拡充とインフラが整備されるまで、2キロの距離に1時間も運転するような悲惨な交通状態になりました。始業時間を守れる人がいなくなったので、どの職場も7時~8時半の間に始業し、8時間働くというフレックス制に変わりました。同時に昼食休憩が導入されて9時間勤務となり、帰宅はますます遅くなりました。

2010年代には就労管理法も変わります。タイムカードは姿を消し、個人カードのスキャン、指紋照合、加えてアイスキャン(網膜血管の照合)で出入が管理されるようになりました。それまでは同僚にタイムカードを差してもらったり、個人の用事で勝手に抜け出したりと、職場の倫理がありませんでした。さまざまな国籍の労働者が各自の理屈を押し通せば、職場は混乱します。ひとつの厳しい規則が導入されて、従えない人には退職してもらいました。こうした古い体制から世界の労働市場と同じ環境を整えるのに、UAEは何度もメスを入れて脱皮しなければなりませんでした。それは同時にアラブ家族のあり方を変革し、拝金主義や資本主義を一般社会に浸透させていきます。1日におけるラーハとシャグルの時間配分が、非常に大きく変わった時期でした。

ラマダーン中は働かないか

非イスラーム圏からきた経営者にいつも評判が悪いのは、断食月ラマダーンの働きぶりです。ヒジュラ暦では年に一度、ラマダーン月を迎えます。期間は29~30日間、太陰暦の新月から次の新月まで、欲望を抑えた生活を送ります。日本では単に「日中は飲食しない習慣」と捉えられがちですが、実際にはそれだけではありません。決められた時間帯は飲食しない、タバコなどの嗜好品もやらない、娯楽、音楽、性交などは禁止。遊園地や公園も閉まります。

その目的は、世界中の苦しい状況の人々を思いやる、自分の置かれた状況に感謝する、欲望をコントロールする訓練です。深い精神的な鍛練を求められる〝修業〟で、自己を見つめ直し、この1年よく神の道を守ったか、人や社会に奉仕してきたかなどを沈思し、自らの生き方の方向修正を行う期間です。それゆえラマダーンは、断食月というよりは、「斎戒《さいかい》」月と呼ぶ方が合っています。断食だけしても、誤った生き方や暴力、貪欲さ、欲望、怒り、悪意を捨て去ることができないならば意味がない、とアッラーは明言しています。


一日中断食し、一晩中礼拝を捧げても、得るのは空腹と不眠ばかりという者も大勢いる。

（アブーダーウードのハディース）


イスラーム圏に進出した日本企業は、その真髄を知らず、「ラマダーン中はろくに働かない」と声を揃えて非難します。「商売にならない」、「従業員のやる気がない」、「1秒たりとも残業しない」と文句たらたら。もちろんアッラーは、ラマダーン中は怠惰に過ごせとは教えません。しかし個々のムスリムには他にやるべき事がたくさんあるのです。

ラマダーンはムスリムにとって特別な月です。食を断つという肉体的な浄化作業とともに、よりよき人生に近づく精神的な浄化作業も行います。肉体的な浄化とは、いつも飽食している胃を休める、身体が必要とする以上に過食しない、1日のうち決まった時間にだけ食べる、などです。精神的な浄化とは、礼拝を通しての内省、喜捨やサダカの義務の遂行、家族や友人との交流などです。

この期間には、年に1度のザカート（義務の喜捨）があり、特別な礼拝（夜に長時間行われるタラウィーハの礼拝やライラティルカドルの礼拝など）があり、サダカ（任意の喜捨）の奨励があり、ジハード（神の道への奮闘努力）があります。サダカは善意を伴う様々な行為を含み、気持ちよく人に挨拶する、病人を見舞う、遺族を慰める、墓参りをする、疎遠となった人を訪ねる、親孝行するなどが含まれます。ボランティアや災害援助もこのうちに入ります。ジハードとは、昨今は悪い解釈ばかりが独り歩きしていますが、その真意は神の道に精進することで、なかなかやってあげられなかった家族の願いをかなえたり、喧嘩した相手と仲直りをしたり、長いこと疎遠にしていた親族に連絡をとったり、クルアーンを暗誦しようと試みたり、後回しにしていた面倒な問題に取り組むなど、勇気を伴う行為を含みます。そうしたことを1か月間やり続ける斎戒月は、人生をリセットする大切な機会なのです。

> うまい儲けや遊びごとを見つけると、礼拝に向かおうと立ち上がるあなたをなおざりにして、そちらに駆け出す輩もいる。言ってやるがいい。アッラーの恩恵は、遊戯や取引よりも勝る。アッラーは最善の給与者である。（クルアーン合同礼拝章11節）

イスラームは商売を大いに奨励

イスラームは砂漠の宗教と思われがちですが、実際には、都市を中心に貿易と商取引によって発展した宗教です。もともとアラビア半島のマッカは隊商貿易で潤う商人の町でした。預言者ムハンマド自身が商人であったし、預言者の妻はうーんと年上の大成功した貿易商人でした。

7世紀から15世紀にかけては、イスラームが領土を拡大するとともに、交易圏も飛躍的に拡大した時期でした。東南アジアからアフリカの喜望峰まで、地球の半分を巡る大船隊を使った海上貿易が盛んに行われ、その様子は『シンドバッドの冒険』にエキサイティングに描かれています。また季節の大キャラバンと呼ばれる数千頭のラクダを率いた陸上交易は、東欧やアフリカにまで延びていました。

イスラームは他宗教のように儲け＝汚いとは捉えず、つねに商売を奨励しています。クルアーンにも商売の勧めや、その際に守るべき商取引の原則などがたくさんあります。イスラームではリバー（利子）を禁止し、公正な等価交換（金と金、銀と銀の交換、同グラムの交換、同時交換など）を定めています。次の記述などはなかなか面白い表現です。

リバー（利子）を貪る者は、（復活の日に）悪魔に憑りつかれて倒れた者がするような起き上が

り方しかできない。それは彼らが「商売はリバーを取るようなものだ」と言うからである。アッラーは商売をお許しになり、リバーを禁じた。（クルアーン雄牛章275節）

時代を経てバグダッド、カイロ、イスタンブールといった大都市を中心に、大小の商圏が形成されて、さまざまな人種の商人による交易網が複雑に張り巡らされていきました。こうした商業ネットワークを保護するため、ひとつの共通する商法が必要になってきます。各地域における安全保障と、金銀を基本通貨とした等価交換制度、手形の決済などを規定する商法などが次々に定められ、中世のイスラーム圏には、商人層の担う史上初の世界的規模の流通圏が築かれました。遠方でも安全かつ公正に商売を行う体制が整えられて、貿易はさらに発展しました。

そのうちに生産から、加工、販売まで、商売にかかわる総てを手掛ける〝総合卸売り商〟が現れます。日本でいう三井や三菱といった大商人でしょうか。彼らは学校、病院、モスク、宿泊所などを造設しコミュニティに寄進していきます。イスラームでは大いに商売し、大いに儲けて、大いに寄進してくださいというわけです。

礼拝が終わったら、あなた方は大地に広がり、アッラーの恵みを求め（儲かるよう努力）なさい。そしてたくさんアッラーを思い出しなさい。（クルアーン合同礼拝章10節）

この章の最初に、アラブ人にとってラーハが最も大切な時間で、他の時間はそれを支える要素だと書きました。シャグルで儲けたお金で家族を養い、喜捨によってコミュニティや社会を安定させ、憩いの時間を手に入れる――目指すところはラーハ、そこへたどり着く手段がシャグルなのです。

労働の概念

一方、まだ日本では生産的であることが、〝社会に存在する価値〟と思われがちです。「カローシ」という不名誉な日本語が、外国のメディアにも流れ始めたのは、2010年を過ぎた頃でしょうか。日本語がそのまま世界語になるのは、日本にしかない概念を表す時です。日本語の中にも、以前日本に存在しなかった物（バター、ワイン、エレベーター、トランペットなど）がカタカナで表記されるでしょう。同様に日本独特の概念、事象、精神、事物が、今ではたくさん世界語になっています。津波、台風、芸者、盆栽、サムライ、寿司などなど。世界に新しい文化や思想をもたらした誇らしい日本語（歌舞伎、マンガ、絵文字、改善、モッタイナイなど）もあります。しかし最近は、浪人、ヤクザ、オタク、引きこもりなど誇れない言葉も増えていて残念です。

そのうちの「カローシ」は、まさしく過労死のこと。2015年に日本の広告会社で、若く聡明な女性が過労で自殺した事件がありました。それを労災と認めるかの裁判があり、非人間的な働き方がアラブのメディアで大きな話題になりました。

全国紙の一面を費やした記事にはさまざまな注釈がありました。過労死の概念がない世界に、ゼロから説明しなければならないからです。若い女性が自殺した、死ぬまで仕事を続けた、残業が月に百時間を超えていた、親が会社を辞めさせなかった、職場が労災と認めず非情な態度を貫いている――すべてが理解に苦しむ内容で、長い注釈が必要でした。

「仕事は永遠に終わらないのに、日本人は終わるまで止めない」、「仕事に完璧を求め、責任感のため途中で投げ出さない」――それらは賛美の言葉ではありません。「世界に職場はたくさんあるのに、なぜわざわざ苦しい場所に居続けたか」、「人間は完璧な存在ではないのに、なぜ仕事に完璧を求めるか」、「未婚女性を非人間的な環境において親は何をしていたのか」、「仕事に責任を持っても家族生活には責任を持たないのか」といった単純な疑問がありすぎて、事件のあらましはわかっても理解不能なのです。

記事には訴訟問題も含まれていました。労災と認められるまでに証明すべき証拠の数々、死人に口なしとばかりに突き付けられる自己責任説、驚くほど安い罰金（50万円）、ネットやSNSで煽られる私刑《リンチ》の風潮などが、細かく説明されていました。アラブからすればあまりにも非人間的・非人道的で、現実の事件だとは信じられなかったのです。


使用人に能力以上のことを要求してはならない。そうしなければならない時は、主人自ら使

用人に手を貸してやるべきである。（ブハーリーのハディース）

神から授かる肉体、預かる魂

ムスリムは、魂とは神からの〝預かりもの〟と理解しています。肉体は神があなたに授けてくれたもの、魂はその肉体に神が預けているものです。あなたはその魂に責任をもち、大切に扱わなければなりません。与えられた肉体、預けられた魂を大切に保持し育むことは、神に対する責任です。無理に働いて身体を壊すのは、家族を顧みない「破壊的行為」であり、神が預けた命を無駄にする「馬鹿げたこと」でしかありません。

ではアラブ人とはテキトーにしか働かないのね、と早合点しないでいただきたい。日本人顔負けに長時間働き、過労で入院する人だっています。そもそもイスラームでは儲け（商売）を奨励しているし、商売の成功は褒めるべきことです。しかし健康を害し、家族の安寧が壊れるまで働くのは本末転倒です。それゆえ無理を行わず、ここまでと線引きをするのをためらわず、あとは神に（実質的な仕事は周囲に）任せる潔さを持っています。これが日本人には無責任と感じられるのでしょう。

アラブ社会の基本は部族制です。その中には裕福で健康な者が、そうした要素に恵まれない人を援助する義務があります。どんな社会にも病気や障害のために働けない者、孤児、寡婦、老人がいます。すべての人が神によって創られたのであれば、他者がその価値を判断すべきではありません。そう書くと日本人は、「他人より多く働くのは損」、「自分ばかり働くのは不公平」と不満を抱くかもしれませんね。不健康で不運な他人のことまで、健康で努力する自分が背負う責任・義務・余裕はない。それはもっと大きな枠組みである国家が、公正な福祉政策で行うべきだと。しかしアラブ人はもっと部族的に、かつ個人的にそれを担う訓練を積んでいます。

部族的な要素とは、ひとつの部族社会を力の集合体とみて、強い部分から弱い部分へ力を移動均衡させる知恵です。これは分業のシステムからも、喜捨のシステムからもわかります。厳しい自然の中で生き延びる時、女性が男性と同じような労働をすることは不可能です。能力・体力に合った労働をそれぞれが担うのは、部族の被害を最小限に留めるために必要でした。喜捨も同様で、富を流動的なものと考えるイスラームでは、富あるいは貧困が一極集中しているのはかえって被害をもたらすと知っています。富める側の財産の一部を上手に放出し、流動していく中で民衆を救うシステムが必要です。それが国家規模になると、どれほど有効で即効性があるかは不明なために、国家を通さずに、個人でそこに参加するのです。

巨大な財産を持ち続ける人は、次第にその金額に馴れ、持っている期間に馴れ、そのもたらす権力に馴れ、世界においてどれほど不均衡なことかを感知できなくなります。今のＧＡＦＡがそうではないでしょうか。フェイスブックもアマゾンも、国家予算を超えるほどの巨大企業に成長しながら、決められた税を払い渋ったり、タックスヘブンの地域へ逃げ込んだりしています。小さな部族に当てはめれば、巨大な不均衡と不公正は被害をもたらすだけだとわかるのに、集合体が大きくなると、自分たちには当てはまらないと誤解するのでしょうか。

個人的な要素というのは、自分が重荷（責任）を担える人間だからこそ、神はその荷を与えたという宗教的な責任感です。知るべきは、そうした境遇をムスリムは決して損だとか不公平と感じないことです。それどころか幸福とさえ感じています。今日の自分はその荷を背負うことができる、集合体の一員として他者を救うことができる。しかしある時神は運命を入れ替え、背負えない境遇に変えてしまうかもしれない。誰の面倒もみられず、自分のことだけに精一杯で、愛する家族や大事な友人を援けられなくなるかもしれない。しかし今はまだできる、という自負と幸福感です。神は、背負うことが出来る人にだけ相応の荷を預けます。出来ない人には決して能力以上の無理を求めません。

神は誰にもその能力以上のものを負わせられることはない。人間は自らが稼いだもので自らを益し、その稼いだもので自らを損なう。（クルアーン雄牛章２８６節）

重荷を背負うものは、誰も他人の重荷を負うことはない。人間は努力したものの他に得るものを持たない。（クルアーン星章38、39節）

ラーハを得るために

日本の金融庁が2019年6月に公表した報告書に、「老後資金は2千万円不足する」という記述があり、世間が騒然としました。真面目に働いて税金を払い、老後のために貯めてきた預金では、2千万円も足りないというのです。年金から得られる実収入に比べて、実支出の方が多くなり、その平均的な差額は月に5万5千円もマイナス！　それを平均余命に当てはめると、生涯赤字額は最高1980万円になるそうです。この数字に愕然とした日本人は多かったのではないでしょうか。こんな数字を出されたら、預金のない人は普通の人生を送ることもできないのかと怖くなりますね。

もしこの数字をアラブ人に語ったら、一瞥してアハハと笑われるでしょう。先のことは誰にもわからない、運命はすべてアッラーの掌中にあると言われるだけです。「長生きしないかもしれないのに、貯め込んでどうするの？　お金を持って来世に行くことはできないんだよ。持てば持つだけの生活をし、持たないなら持たない生活をするだけだ。大丈夫、アッラーのご加護を信じなさいよ」と。

神の情け深いお恵みに決して絶望してはならない。不信仰者のほかには、神の深い恩恵に絶望しない。（クルアーン　ユースフ章87節）

なんてお気楽で能天気で大雑把な民族なんだ！　と腹が立つかもしれません。産油国に生まれたから、何も心配がないのだ。寿命が短いから他人事なのだと。しかし、産油国かどうかは関係ないと何度も書きました。電気も水もない50年前だって、人々はきっと同じ返事をしたはずです。この楽観性はどこからくるのでしょうか。

人生でラーハを手に入れるのは、実は容易《たやす》くはありません。簡単そうに見えて、人生にひとしく穏やかなラーハをもたらそうとしたら、相当な覚悟が必要です。なぜでしょう。ラーハなんて、「寝てる」時間と「働く」時間以外の全部なのに。寝ると働くを抜いたらぼーっとする時間でしかなく、努力なんかしなくたってすんなり手に入りそうなのに。

人が適度に働き、適度に稼いで、適度に家にいても、ラーハが自然とやってくるわけではありません。もちろん物理的に家族と共有する時間が多くなければ、最初から無理なのですが、多いからといって理想的な形で得られるものではない。ラーハをもたらすのは愛情と感謝と寛容です。それが伴わなければラーハはただの時間で、真価を現しません。

自分には住むところがある、食べ物がある、一緒に暮らす家族がいる、家族はそれぞれ価値観や希望が違う、でも血のつながった集合体として機能している。そういうことに注目し続ける判断力というか、それ以外の不安要素には目をつむる覚悟が必要です。それ以外のこと——成績や稼ぎが悪いとか、成人したのに職につかない子がいるとか、家庭内で自分だけ召使のように働かされるとか、十分な老後の蓄えがないとか、そういうことに注目していたら、家庭とは苦しみ以外の何ものでもなくなってしまいます。ムスリムは先行きの不安を追い詰めません。いずれ「神が善きに計らう」としか考えない。そりゃ馬鹿か、と思ってはいけません。実は、これは底知れないほど頼もしい能力なのかもしれませんよ。

信じる力

我が家ではこの猛烈な暑さのために冷房機が3台も壊れてしまいました。1階と2階の居間と主寝室にある大型冷房機は、コロナ騒ぎの最中に次々と壊れ、夫は工事人を家に入れたくないために、ずっと壊れたままです。外気温は50度。他の部屋の冷房で凌いでも、家中のコンクリートが熱いのでどうにもなりません。私は扇子を片手に忙しく仰ぎながら、早く直してちょうだいと毎日お願いしています。しかし夫の言うことはいつも同じ。「世の中って、半分水が入っているコップをどう評価するかなんだよ。半分しか入っていないと文句を言うか、半分も入っていると感謝するか。我が家にはまだたくさん冷房機があって機能している。僕は有難いと思っているよ」。でも日本人の私にはこの暑さは耐え難く、夫の理性的な言葉もなかなか受け入れられません。コロナ禍で修理店が全部閉まっている最も悪いタイミングで、持っていたもの（冷房機）が無くなったから、減ってしまったから、私は悔しくてしょうがない。しかし私はどこかでこの悔しさを手離さないといけません。喚こうが叫ぼうが冷房機は直らないのだから。

コップの水は物品にも置き換えられるし、能力にも、愛情にも、時間にも置き換えられます。私たちはより多くを、より上質を、より完璧を欲しがりますが、本当はそれらがなくても満足できるのです。それには信じる力が必要です。家族を信じる、愛情を信じる、コミュニティの慈悲を信じる、神のご加護を信じる、自分は真っ当に生きてきたことを信じる、天国へ行けると信じる……。

信じることも能力です。信じると信じないではどちらが幸福かといえば、もちろん信じる方です。来ないかもしれない、得られないかもしれない、届かないかもしれない、満たされないかもしれない。信じていても後に裏切られたらかえって辛い――そんなのは先の読み過ぎです。ただ一方通行の「信じる」さえ持っていたら、たとえ物事がうまく運ばなくても、未来に少々残念なことが起きても、大切なものが間に合わなくても、自分の信じた気持を勲章にして神さまはご加護を与えてくれるものだとムスリムは習います。

ラーハの真価は、ある程度以上の欲望を放棄し、心穏やかに家族を愛し続け、今持っているものに感謝し、ありのまま（の自分や他者や状況）を受け入れる寛容と、集合体を継続させていく決意によって、ようやく訪れます。能天気のお気楽人間に見えて、アラブ人はなかなかそうでもない。私たちは誰でも、つねに選択を与えられているのです。

第9章 アラブに引きこもりはない

家を離れない人々

家から一歩も出ないことが「引きこもり」としたら、アラブ世界の人口の3分の1くらいはそうかもしれません。中東の気候は厳しく、アラビア半島の砂漠地帯だけでなく、北アフリカの砂漠や山岳地帯における風、砂塵、気温差は、簡単に人間の社会生活を許しません。私の住むUAEの夏の気温は、今では当たり前に50度になります。比較的温暖な地中海地方でも、強烈な日差しで外に出られない地域もありますし、アフリカには日中の気温50度・湿度90％という国もあります。こうした国に住む人間にとって、1年のうち何か月も外に出ないことは不思議でも異常でもなく、世間体が悪いわけでもありません。身を守るために外出しない人々はたくさんいるのです。

２０２０年前半は、新型コロナ感染拡大防止のため、世界中の多くの町がロックダウン（都市封鎖）となりました。ＵＡＥでも外出規制は３か月以上も続きました。ドバイ首長国は特に厳しく、外出は3日に一度だけ、ひと家族につき1名だけ許可を申請することができました。規則を守らなかった場合の罰金は高額で、許可なく外出した場合（9万円）、外出時にマスクをしなかった場合（9万円）、車に家族でない2人以上を乗せた場合（9万円）、集会やパーティを主宰した場合（30万円）、公共の場で社会的距離を保たなかった場合（施設側15万円、個人9万円）など、聞いただけでも外出したくなくなる金額でした。ハイウェイに設置された速度測定器（ネズミ取り装置）は、全車両のナンバープレートを撮影し、許可のない車はしっかり罰金を取られました。おまけに外出は年齢制限付きで、12歳以下と60歳以上の人は出られません。日本でそんな制限をしたら、大部分が外出できなくなってしまいますね。私の友人は「３日に一度の外出って、気を抜くと牛乳の賞味期限が切れちゃうのよ」と困っていました。

ＵＡＥ国民にとって、こうした規制は特に難しいことではありませんでした。もともと外気の中を歩く習慣がないし、都心以外は公共の交通機関がないので車のない人は出られません。乳幼児を連れた母親や老人は理由がなければ外出しないし、理由があっても日中は避けています。同居する私の義母（75歳）など、外出用の靴を持っていません。外に出ないから必要ないのです。義父も身体を壊してからは靴を持ちませんでした。近所のおばあさんたちだって自分の靴を棚にしまうだけで、玄関に置いている人はいません。健康なのに自分の靴を持っていない人を、私は中東の暮らしの中で初めて知りました。

私の町には約2万人が住み、公立の幼稚園、小中学校、高校がひとつずつ、私立学校が3つあります。政庁舎、総合病院、クリニック、福祉センターなどもちゃんとある結構な規模なのに、外を歩く人はおらずまるでゴーストタウンです。ときどき見るのは、近くの商店のおじさんが自転車で配達する姿か、隣家に届け物をするメイドか、夕方にサッカーに出ていく少年くらいでしょうか。窓からのぞいても、蜃気楼でゆらゆらと揺れる風景の中に人影は見当たりません。

一方で、人口密集地の都会（ドバイやアブダビなど）では、高層ビルのつくる陰を歩いてモスクや商店に行ったり、手近な食堂に入る人々がいます。多くは車を持たず、公共バスやメトロを使って生活する人々ですが、そうした人でも歩ける程度の距離（300メートル四方くらい）の中で生活を完結していて、長距離を移動する姿はありません。

アラブの家庭

生活が家屋の中だけで完結するのは、穏やかな気候の国で暮らす人にはきっと想像し難いでしょう。日本では誰もが毎日買い物に行くし、家が密集しているので、窓から覗いても、洗濯物を干しても、ドアを一歩出ても外界が見えます。隣家のピアノや電話が鳴るのだって聞こえます。１００メートルを歩く間に４、５軒の家を過ぎるはずです。いつでもすぐ目の前に、活気溢れる社会を感じることができます。

しかし、アラブの家屋はそのようには出来ていません。敷地を囲む外壁は、他人の目から守るために（敷地内で女性が自由な格好で気楽に歩けるように）非常に高く造られています。隣家の屋上から見える場所には屋根を張り、広い敷地内（キッチンから母屋、別棟、納戸、駐車場まで）を歩いても、女性は家族以外の誰にも見られずに生活できます。家同士はかなり離れているし、窓は反射ガラスになっていて中が見えません。アラブの伝統的な家屋はロの字型に建てられていて、中央に庭があり、女性や子どもが安全に過ごせるようになっています。それは学校建築にも適用されて、公立学校は外界から遮断された空間（高い壁、ロの字型の校舎、中庭）で子どもを養育・保護できる造りになっています。

物理的な環境だけでなく、生活習慣もあります。買い物は重労働なのでアラブでは男性の仕事です。訪問客の対応（ドアベルが鳴ったら出て行く）など外界とつながる仕事も、家に危険な人物を入れないために、男性の重要な役目です。小さい買い物なら近所の御用聞きが電話一本で届けてくれるシステムも出来上がっています。体力のない女性や子どもや老人は、家から一歩も出ないで生活するのが可能なのです。

日本の引きこもり問題

気候が温暖で1年中外出できる日本で、外に出ないのは特別な理由がある人々です。その中には「引きこもり」と呼ばれる人々がいます。厚生労働省では、「様々な要因の結果として、社会的参加を回避し、原則的には6か月以上にわたっておおむね家庭内にとどまり続けている状態」としています。

引きこもりが社会問題になってきたのは、90年代後半からでしょうか。他人とのコミュニケーションがうまく出来ず、何かをきっかけに家から出なくなる人のことです。最初は週に何日かは学校に通ったり、就職活動をしたり、趣味の場に出かけるくらいはできたのに、だんだん近くのコンビニしか行けなくなり、外部との交渉を断ってしまいます。２０１８年の内閣府の統計では、日本には15歳から39歳までの引きこもりが、推定54万1千人いるそうです。

そうした状態が何年も続けば、成人しても収入はありません。長い年月の過程で同居家族を巻き込み、老齢の親に暴力を加えたり、親の年金や財産を搾取したり、死亡した親を放置して年金受給を続ける人もいます。果ては、社会になじめず自分だけが不幸な立場に追いやられていると信じ込み、罪のない人々へ無差別テロを起こしたり、セルフネグレクトになってゴミ屋敷化して、近所と問題を起こしたりしています。老年になる前に何とかして行政の力を借りるか、誰かと社会的な関係を築ければいいけれど、それが出来ないまま最終的に孤独死してしまう人もいます。同じ内閣府の統計では、40歳から65歳までの引きこもりは、推定61万人いるそうです。合計で110万人以上の日本人が、引きこもりの状態なのです。これはUAE国民の人口（96万人）をはるかに越えています。

日本人にとって、外に出るのは〝自由〟と同義語です。気候がいいのと、家屋が狭いのと、ほぼ毎日買い物をする習慣から、外に出ない選択はよほどのことがない限りありません。この度のコロナ禍では、自主的な外出規制を政府がお願いしていましたが、電車は止まらず店は閉まらず、他世界から見たら随分と緩い都市封鎖でした。家にいろと指示されるのは、自由を奪われ権利を侵害されたと感じる人が多かったようです。

一方で110万人の引きこもりは、家から出ないことを選択しています。多くはトラウマを抱え、自己防衛のためにしばらく安全な家にこもる必要があったのでしょうが、何か月も続けば社会性を失い友人も離れていき、孤独に陥ります。終いには、自分には外に出る能力がない、人と交わる才覚がない、価値がないという妄想に発展し、さらに外部とのつながりが切れてしまいます。20世紀末まで行政は引きこもりを個人の問題だと放置してきましたが、8050問題、孤独死問題、無差別テロなどが起きると、やっと社会的問題として個々の家族を救済する方向に動き始めました。

なぜ家から出たいの？

〝家にいる〟という認識がアラブと日本ではこのように全く違うために、「引きこもり」をアラブ人に説明する時には随分と苦労します。そこに何の問題があるのか、アラブ人にはわからないからです。家族（特に女性）がずっと家にいることは、アラブ男性にとって理想的な状態で、その状態にもっていくのが目標であり責任でもあります。私自身、5人の子育てをしている時期に、家から一歩も出られない苦しみを夫に理解してもらうのは困難でした。

結婚して5年間ドバイに住んでいた時に、こんなことがありました。当時私たちは片道2車線が交わる交差点のすぐ横にあるアパートに住んでいました。ある日、私は0歳と2歳の子どもを連れて、交差点の反対側にあるスーパーへ行こうとしました。すでに暑くなりかけの季節でしたが、家の向かいなんてすぐに着けると思ったのです。

長女を乳母車に乗せ長男を抱いて、どうにか道路までたどり着きました。どうにかと言うのは、アパートの前には階段があって乳母車では下りられないので、地下の駐車場からぐるぐる回りながら地上に上がったからです。

ＵＡＥの道路は右側走行（日本と反対）で、交差点には右折専用車線があります。交差点を通らず、曲線を描いて右折道路につながっているため、信号に関係なく一時停止せずに走り抜けられます。そこは町の真ん中で交通量が多く、車はなかなか途切れませんでした。私は長男を片腕に抱きなががら、何度も何度も踏み出すのですが、乳母車は片手で押すのは難しく、猛スピードで走ってくる車が怖くて渡ることができませんでした。10分以上も待ったでしょうか。そのうち炎天下に立っていることができなくなり、最後の力を振り絞ってやっとアパートまで戻りました。しばらくは口もきけない程に疲労して、子どもたちに飲み物を与え、私自身も数時間寝込みました。そのとき何よりも私を打ちのめしたのは、道路さえ渡れなかった自分でした。私は学生時代、世界中の僻地を冒険・探検していた人間です。それなのに、たった数年でこんなに貧弱になり、道の向かい側にもたどり着けなくなったことがショックで、寝込んでしまったのでした。

家に戻ってきた夫にその話をすると、夫はまったく私を理解してくれませんでした。なぜスーパーに電話して配達を頼まなかったのだ、と文句を言うばかりです。外に出ることが当たり前だった人間にとって、行けなくなったことがどれほど苦しいかを、夫は想像できなかったのでした。

ドバイにしばらく住んだあと、砂漠の田舎町に引っ越した時はもっと大変でした。何もかもが遠くて不便で、舗装道路もなく、周りには商店もパン屋もありませんでした。一番近いスーパーまで車で30分以上もかかり、外へ出ても買い物をして戻るだけ。周りに友人はおらず、社会とほとんど関わらず、必要最低限の外出しかしない生活になってしまいました。その苦しさは耐えがたく、不足のない生活を感謝しようと我慢しようとどれほど頑張っても、私の精神は苛まれていきました。文句を言いながら暮らすのは嫌で、滅多に口には出しませんでしたが、それでも時折その苦しみは限界を超え、血を吐き出すように慟哭すると、夫は本当に驚くのでした。「なぜ外に出なければならないの？　家にいたら何も心配することはない。安全で食べ物もあり、子どもたちと一緒にいられる。どうしてわざわざ外に出たいの？」

「家から外に出ることは、私の根本的かつ本能的な要求で、出なくても平気という範疇ではない。私は外に出たいのだ！」と要求すると、不思議そうに「じゃあ、どこへでも連れて行くよ」と言うのでハタと困りました。モールやシアターに行きたいわけでもないのです。自由が欲しいのか、時間やお金が欲しいのか、家族と離れて過ごしたいのか、考えるほどにわからなくなっていきます。そして最後にはいつも同じ答えでした。「もうどこへも行きたくない。どうせ何も変わらない」。

そのとき私は社会と関わる生活が送りたかったのです。外界とつながらず友人のいない生活は、（たとえ夫や子どもがいようと）私にとっては辛いものでした。また、夫が私の気持ちを理解できない理由を理性ではわかりながらも、腹が立ちました。しかし文化や習慣が違えば平行線です。日本で引きこもる人たちがどれほど苦しいか、いくら上手に言葉で説明しても、最終的にはアラブ人にはわからないものかもしれません。

アラブの家庭

アラブの家庭には日本で想像するよりずっと多様な人間が共存しています。一般家庭の例を挙げてみましょう。夫婦に平均4～8人の子どもたち、年老いた両親、インドネシア人のメイド、フィリピン人のベビーシッター、スリランカ人のコック、インド人のドライバー、エジプト人の庭師などが同居しています。敷地内には、家族が住む母屋、母屋につながるキッチンとメイド部屋、外部ドアから出入りするドライバーや庭師用の家屋、両親の家屋など何棟も建物があります。

同居人はそれぞれ人種も言語も宗教も習慣も違います。インド人にはインド人の働き方があるし、エジプト人にはエジプト人のやり方がある。フィリピン人とインドネシア人の働きぶりはまったく違うし、スリランカ人とネパール人の不満は大きく違います。言語も違えば宗教も違い、食べ物の好みも、寝起きの習慣も違います。下働きの多くが教育を受けていないため、理屈や常識が通じないことは頻繁にあります。喧嘩や怒鳴り合い、責任のなすりあいはしょっちゅうです。バックグラウンドの違う人々を上手に管理・維持し、一家の基準に合わせて生活させることは、並大抵の能力ではありません。そんな難しい役割を担うのだから、アラブ女性は家にいるだけで大仕事をしています。家という狭い世界を出て社会とつながりたいと願った私の気持ちが、これでは夫にはうまく伝わるはずもありませんでした。

男性家族も家にいながら常に多様な人と交わっています。家内労働者はしょっちゅう指示を仰ぎに来るし、洗濯夫が服を部屋に運んでくるし、近所の御用聞きは物を届けにやってきて、そのたびに対応しなければなりません。父親に客がくれば、女性や下男は顔を出さず、息子たちが一丸となって、歓迎から接待、食事の盛り付け、お茶を注ぎ、香を焚き、御用聞き、お見送りまで仕切らなければなりません。男性コミュニティは、少年たちを一人前の男に育て上げるために、お互いに教育し合います。そこに、「面倒くせーからやらないよ」とか、「なんで父さんの客が俺に関係あんの?」などという言い訳は通用しません。よほどのことがない限り、欠席は許されないのです。その家の息子だけが、家長の客をもてなす栄誉に与るわけですから。

ムスリム男性は金曜日にモスクで礼拝することは義務であり、できるだけ家族や周りの人を誘うのがよいとされています。毎週違ったモスクを訪ねるのもいいし、行きと帰りの道を違えるのもいいとあります。それは新たな人との出会いをもたらすからです。モスクへ行けばイマームには説教されるし、近所の人たち

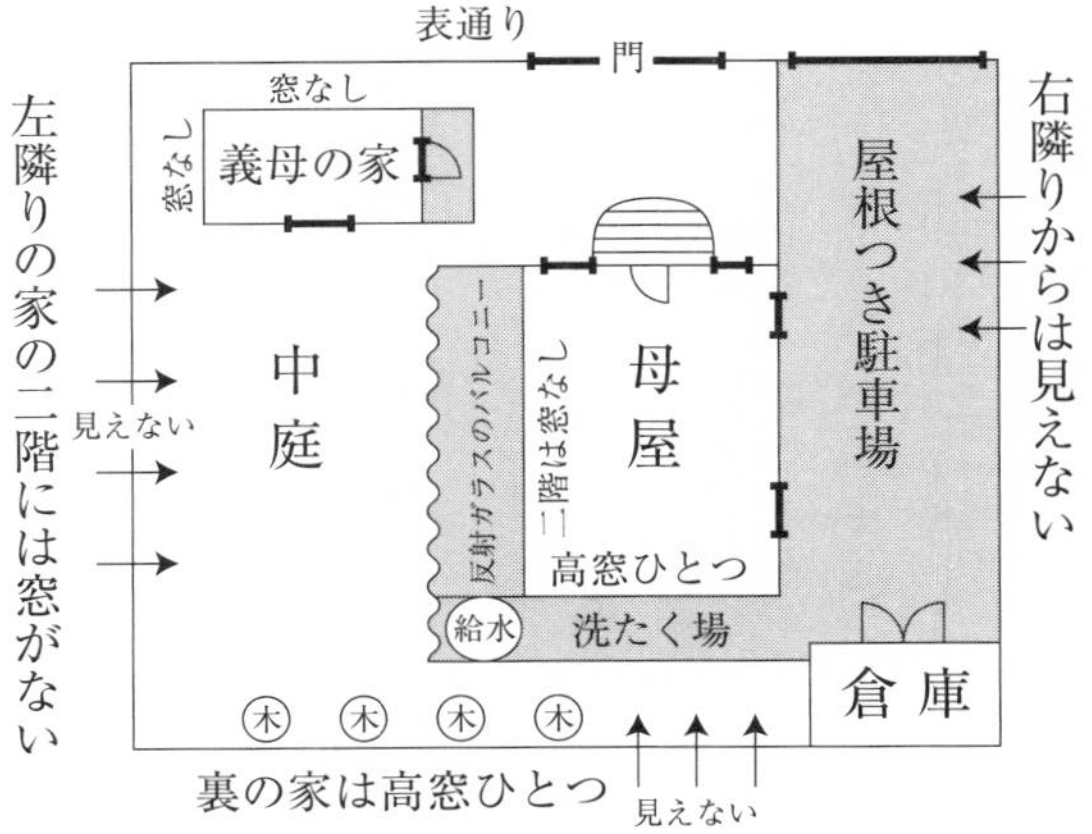

UAEの公共住宅である我が家
注:隣や裏の家は両鏡のように建てられ、我が家に窓がない面には同じように窓がない。陽光を遮断するため元から窓は少ない。

とも交わるし、家にいれば父親の客をもてなさなきゃならないし、社会との関りが切れることがありません。神の道に従おうと努力（ジハード）する人は、少年たちを金曜礼拝や集会にしつこく誘いますから、家で引きこもっているチャンスはなかなかありません。

信徒たちよ、合同礼拝の日の礼拝への呼びかけが行われたら、商売から離れて神を念じることに急ぎなさい。それがあなたたちにとって良いことなのだ。あなたたちにはわからないだろうが。（クルアーン合同礼拝章9節）

ジハードの精神

しつこく礼拝に誘う世話好きのムスリムがやる行為、「ジハード」とはなんでしょうか。日本のメディアではよく「聖戦＝イスラーム原理宗教を背景にした一方的で自滅的なテロ行為」と訳されていますが、実際はそうではありません。イスラームのジハードは、「神の道に向かうための奮闘努力」です。日本ムスリム協会の発行した『日亜対訳注解聖クルアーン』によると、ジハードとは「自分を犠牲にしてアッラーの道のために奮闘努力すること。利己や世俗的動機をすべて消して、アッラーのために（必要なら）すべてを犠牲にしても誠実に不断に努力すること。農夫の鍬、工人の槌、文人のペン、説教者の舌、富者の施しなども含む」とあります。

歴史的な意味でのジハードは、信仰とウンマ（イスラーム共同体）の防衛・拡大のために、健康な成人ムスリムが元首らの指揮の下に従軍する〝聖戦〟でした。ここで亡くなった殉教者は、審判の日に審査されることなく天国に行けると約束されていました。しかしこれだけでは狭義で、広義のジハードは、勇気や慈悲が必要なさまざまな慈善行為を含みます。コミュニティのために橋を架ける、貧しい地域に電気を引く、溺れかけた人を助ける、クルアーンを教えるなど、状況・環境・関係性によって、また個人の能力によって大なり小なり違いがあります。「煩悩、強欲、諦念、怠惰などに打ち勝つ、信仰の努力の積み重ね」ということもできます。2018年にはUAEの東海岸で溺れかけた息子二人を救けた父親が、力尽きて、自分は溺死してしまいました。この父親は殉教者《ジハーディスト》として葬られています。

英雄的な行為だけとは限りません。私たちが見逃しがちな小さい日常の努力もあります。ある時、私はモールで歳若い友人とお茶を飲んでいました。そのとき彼女は私に小さい声で「スカーフから髪が出ているわよ」と言いました。私はそんなことをあまり気にしない人間ですが、反対に、彼女はすごく気にする人でした。助言に従って軽くスカーフを整えると、彼女は遠慮がちに言いました。「これは私にとってのジハードですから」。10歳以上も歳が離れた姉のような人への助言、相手の気を損ねるかもしれない、助言に従うかはわからない、しかし勇気をもって自分の信じることを言う——そんなジハードもあるのでした。

2010年を過ぎた頃から、中東の紛争地域で、自称ジハーディストたちが次々とテロを起こしていました。それらは宗教の名を借りた無差別殺人・破壊行為です。ソーシャルメディアが発達し、誰もが世界に発信できるようになると、テロ犯人はイスラームの聖戦《ジハード》だと主張して世界のあちこちで犯罪を繰り返し、欧米メディアの格好の餌食となりました。

では、そうした事件がイスラーム世界でどのように報道されていたか、想像したことがありますか。世界に16億人いる普通のムスリムが、「あぁ自分の宗教は罪を犯している。世界に申し訳ない。反省しなくては」と考えたと思いますか。当然そんなことはありません。「あんなのはイスラームじゃない。でも世界の大手メディアがこれでもかと連日報道したら、知らない人は鵜呑みにしてしまう。嫌だなぁ」と感じていました。狂信者が宗教を理由にテロを実行したからといって、宗教イスラームが元凶で、ムスリム以外が正義だと鵜呑みにしてはいけません。

「アラブリーグ（アラブ連盟）」と呼ばれる組織には、中東と北アフリカの22か国が加盟しています。どの国もアラビア語を母国語とし、独自のメディアを持っています。アラブ国家が運営する報道局は2百以上もあるでしょうか。その何百とある報道局が、原理主義の危険を指摘し、民衆にテロの犠牲にならないように、テロ組織に加わらないように、自国の大事な若者が洗脳されないように、毎日必死で報道していました。

あなたがた、信仰する者よ。神を畏れ、自分の義務を果たして神に近づくよう念願し、神の

道のために奮闘努力《ジハード》しなさい。あなた方はおそらく成功するであろう。（クルアーン食卓章35節）

日本にも同様の事件がある

1995年に起きたオウム真理教のテロ事件は、似たような概要ですが、もっと大掛かりで、日本を震撼させた大事件でした。グルと呼ばれる人物やその取り巻きが、自らを「仏教集団」と名乗り、テロ行為を「宗教にとって神聖で必要な行為」と信者たちに洗脳して、次々と恐ろしい事件を引き起こしました。信者の財産を根こそぎ吸い上げ、国内の広大な土地を奪得し、大臣や役人を決めて独立国家を創り、教義に合わないものは暴力で排除し、化学兵器使用も殺人も厭いませんでした。その時に起きた「地下鉄サリン事件」は、東京の朝の最も忙しい時間帯に、最も混雑する地下鉄の中でサリンを撒いた事件で、死者14名、負傷者6千名以上を出しました。それがトップニュースとしてアラブの報道局で放映された時、驚いたたくさんのアラブ人から私は電話をもらいました。「日本はどうしちゃったの」、「仏教ってそんな怖い宗教なの」、「誰も止める人がいなかったの」。

このカルト集団が行ったテロ行為は、宗教的に正しい教義でもなければ、世界の滅亡を前提にした救済思想などではまったくないことは、日本人なら誰でも知っています。当時は日本中の僧侶たちが「仏教徒を騙るな」と怒る様子が日本のメディアで流されました。しかしその姿が外国のメディアに伝わらなければ、日本人以外には知りようがありません。仏教とはそんな宗教か、日本人ってそんな民族なのかと単純に思われてしまいます。

オウム真理教が起こした一連の事件は、日本国内で起き、犯人も日本人、犠牲者も日本人でした。日本の警察と公安は国の威信をかけて犯人らを捕まえ、土地建物を解体して、司法の裁きを下すことができました。

しかし、国際社会のあらゆる勢力が介在する中東の紛争地域では、解決は困難です。米国がタリバーンを育てたことも、のちに言うことを聞かなくなったタリバーンに抵抗しうる武装集団アルカイダを育てたことも、シリア政府を転覆するために反体制派（後にＩＳと呼ばれる）に資金援助をしていたのも、今ではよく知られた事実です。英米は大量破壊兵器があると因縁つけてイラクに軍事行動を起こし（２００３年）、悪の根源サッダーム・フセインの処刑（２００６年）とオッサーマ・ビンラディンの処刑（２０１２年）後も退去せず、イラクの石油を無償で使い続け、味方に引っ張り込んだクルド人を用済みになって捨てました（２０１８年）。他国を侵略・破壊したこともなかったシリア人70万人が犠牲となり、１２００万人が今では難民となって苦しんでいます。何が真実で何が正義だかさっぱりわからない。背後にたくさんの国家・政治勢力が暗躍し、莫大な量の原油、天然ガスに、武器商人が絡んでいます。ひとつの国家をひとつの司法で裁くことができないのだから、混乱は深まるばかりです。

混迷する中東で人々が常に立ち戻るのはクルアーンとハディースです。ハディースとは、ムスリムはいかに行動すべきかの模範的な行動を記録した、預言者ムハンマドの言行録です。ムスリムはクルアーンには決して間違いがないと信じています。それは（福音書のように）人間がのちに編纂したものではなく、神の言葉をそのまま記録したものだからです。ムスリムにとってこのふたつは神が用意してくれた天国へ行く道筋です。一見、単なるおせっかいや一方通行に見える慈善行為でも、根底には信仰心があるため、社会や状況が移ろい変わろうとも人々は行為を辞めません。それゆえ、アラブでは引きこもりや、周囲と隔絶した人が社会的に放って置かれることは、まずないのです。

私の後に、預言者も使徒も遣わされることはないし、新しい信仰が生まれることもありません……。私はあなたたちに、クルアーンとスンナというふたつのものを残します。あなたたちがそれに従うなら、決して道を誤ることはないでしょう。（預言者の最後の説教）

私はあなたたちにふたつのものを残した。それらをしっかりと保持している限り、決して道を踏み迷うことはない。——そのふたつとはアッラーの書とスンナである。（ハキームのハディース）

分業制と部族制

アラブには〝部族制〟と〝分業制〟のふたつの精神が深く根付いています。部族制とは、部族を大きくする価値観です。部族は家族や親族という最小単位を集合体にしたもので、地域で分かれる場合も、血族で分かれる場合も、主従を含む場合もあります。何度も書いたように、厳しい気候の地域では人間は孤立して生きてはいけません。どんな人間であれ、一人でも多ければ力になると信じられています。部族を大きくすることはより安全を高めることで、生き延びる保険になります。

運命は共同体です。アッラーは土からアーダムを創り、その身体からハワー（イブ）を創りました。キリスト教でもイスラームでも、これが人間の元祖です。そしてこの二人から、世界のさまざまな男女が生まれました。そこには能力の高い人もいれば低い人もいます。高い人が偉く、低い人が足手まといという発想はありません。能力が少ないために部族が消滅してしまうなら、それは神の定めた運命と諦めるしかない。そうした人を排除して、能力の高い先鋭部隊だけで存続すべきだとは神は決して言わないし、生き残った部族が幸福になるとも約束しません。

では分業の精神とは何でしょう。部族には多様な才能をもつ人間が大勢いるのが理想です。澄んだ声のクルアーン詠みがいる、素晴らしい詩人がいる、筆跡が美しい人がいる、星を読む人がいる、哲学者がいる――それらは等しく財産です。そうした才能が実益になるかといえば機会は少ないし、財をもたらすかといえば限りなく可能性は薄かったりします。けれど、それらは確かにきら星を集めたような才能で、一朝一夕には得られず、万人が持つ能力ではありません。アラブの民話を集めた『千夜一夜物語』には、王や魔人やカリフ（宰相）に謎をかけられたり、無茶な要求をされたり、絶体絶命の危機にさらされた主人公が、さまざまな知恵を巡らせて危機を乗り切る話がたくさん出てきます。主人公はボンクラ青年だったり、おせっかいな床屋やケチな商人や、美女や侍女や老人だったりします。彼らは見た目には予想もできない驚くべき能力（知恵）を発揮して、部族を救ったり、相手をやり込めたり、褒美をもらったりします。普段はただ哲学しているだけ、星や天体を研究しているだけ、詩を吟じるだけ、クルアーンを詠んでいるだけの、そうした異能の人々は、いるだけで部族の財産で誇りとなるのでした。

お伽噺の中だけでなく、現実世界の学校という集合体でもそれは活きています。幼稚園から大学まで、子どもの教育期間を通して学校が生徒や教師の能力をどのように活用するかを、私はこの目で見てきました。学業優秀である子はもちろん、司会ができる子、即興詩を作れる子（アラブでは詩は大切な文化で、詩人はとても尊敬される。たくさんのコンクールがあり、韻を踏んで上手に作詩できる子、局面や雰囲気を掴んで即興詩が詠める子は貴重な存在）、クルアーン朗誦者（イベントの最初に必ずクルアーンを詠むので、美声で客を酔わせる能力の持ち主）は、学校にはなくてはならない存在です。それ以外にもチェスの上手な子、電子機器を扱える子（レゴやパネルを使った科学技術コンペで活躍する子）、英語が出来る子、理数系の得意な子、スポーツ、音楽、絵が上手な子、映像をあっという間に創れる子など、あらゆる才能を大切にします。教員も、小学校から教科別に分かれているために専門能力を発揮します。体育を受け持つ北アフリカ出身（チュニジア、モロッコなど）の教師、芸術を受け持つ地中海出身（ヨルダンやエジプトなど）の教師、物理や数学を受け持つレバント出身（シリアやレバノンなど）の教師、宗教を教えるガチガチに保守的なＵＡＥ教師（〝悪い目〟*から生徒を守るのに活躍する）、反対に、イベントで飾りや映像を担当するド派手なＩＴ教師（客を視覚で魅惑する）などがいます。あらゆる分野の教師が生徒の多彩な能力を花開かせ、集団としての学校の価値を高めるのでした。

コミュニティ（集合体）は大きければ大きいほど多様な能力を育む余裕があり、分業も活きていきます。もちろん部族には稼ぐ人も必要です。稼ぎのあるたった一人が、大勢の家族や遠い親族までを養っている場合もあります。外国人でよくＵＡＥ人の給与の高さに文句を言う人を見かけますが、私はＵＡＥのコミュニティで生活しながら、「よほどの稼ぎがなければ、あれだけの人数を養ってはいけないだろう」とつくづく思う人に出会います。そんな立場になったなら、日本人なら「何という不公平、損な役割！」と怒り出しそうですが、アラブ人はそのように考えません。多様で豊かな集合体を実現するには、誰かが稼いで支えなければならないのです。そして、ここが大切なポイントなのですが、稼ぐ人はそれを幸福と考えています。決して損とは考えない。神が自分にその大事な役割を与えた、自分は部族の豊かさに貢献している、力のある部族は尊敬され信用される――そう考えます。よほど魂の底から〝分業〟の意味をわかっているのだろうと、感心したことは何度もありました。

一人の強い男より、二人の弱い男の方が、よい結果を掴《つか》む。（アラブの諺）

評価ができるのは神だけ

社会の仕組みを集合体と分業で整えるには、適度に諦め、適度に妥協することが必要です。万能主義や完璧主義を極度に追い求めるのは危険です。それらは個々人を育てる原動力にはなりますが、行き過ぎは集団を痛めるだけです。もともとイスラームでは人間を完璧な存在とは捉えていません。個人が万能でなければ、さまざまな能力を持つ脇役が必要になります。脇役はその場に応じて主役となるため、ときには誰が族長かわからなくなる弊害もあります。アラブ社会ではボートに乗る全員が自分をキャプテンだと思うために、どの港にも着けない状態に陥ってしまうことがよくあります。しかし、ここに排他主義はありません。

社会の成り立ちも違います。イスラームが拡がった中東の遊牧社会では、適度に力を抜いて生きる知恵が求められました。長時間の労働や勤勉さは、農耕社会や工業国のように必ずしも生産性に

＊　中東から北アフリカ地方にまたがり、信じられている邪悪の目のこと。これに魅入られると美や幸福や価値が壊されてしまう。

つながりません。力を振り絞って土を耕そうものなら芽が出る前に自分が死んでしまうし、どんなに祈っても雨は降りません。熱が籠もれば工場はサウナとなってしまうし、冷却用の水さえ（外気に触れて）熱湯なのだから冷やせません。家畜は人間と同じほど熱や渇きにやられるし、ラクダやロバが座りこんでしまったら鞭や杖でいくら打っても動くものではありません。ちょっと無理をすれば身体はすぐ壊れてしまうし、一度壊れたら生半可な回復では元通りの生活はできません。何事も無理を言ってはいけないのです。

こうした遊牧社会では、勤勉さよりも自然の動きを機敏に捉える勘や、瞬間的に知恵を働かせる才覚や、長い待機の末に道を切り開く忍耐などが求められました。部族を最終的に生き残らせるものは、こうした最大公約数の才能と勘であり、この最大公約数の考え方こそが、他者を受け入れる寛容さを培ってきたのでした。

18世紀の産業革命から、西欧諸国には生産第一主義が浸透しました。農業でも工業でも、時間と労力をかけて「生産性」を高め、さらに「効率」よく働くことに価値が置かれました。20世紀には科学技術がめざましい発展を遂げ、豊かになった人間社会にもはや神の慈悲は必要ないと人々は錯覚し始めます。そして、それまで自分たちを守っていた集合体を少しずつ放棄し始めました。

資本主義経済・消費社会が進んでいくと、それまで労働にだけ当てはまっていた価値観が人間にも浸透していきます。誰もが同じように〝生産する人〟であることを求められ、結果を出すことに価値が置かれました。そうした社会は生産しない人や投資に見合わない人を、価値の低いものとして排斥していきます。しかし、家庭は労働社会とは違います。幼児もいれば老人もいる、病人もいれば怪我人だっているのです。本来なら人生で最も幸福で温かくあるはずの家庭が、猛烈な生産第一主義に毒されていってしまいました。古くからある日本特有の美しい敬老の教え、家族性、社会への奉仕精神などが、見る見るうちに少なくなり、近年では、歪んだ価値観に押しつぶされた人たちが起こす痛ましい事件が跡を絶ちません。

２０１８年には社会生活になじめなかった22歳の男が、新幹線の中で無差別に３人を殺傷しました（新幹線殺傷事件）。２０１９年は、51歳の長年引きこもっていた男が、登校バスを待つ女生徒たちをナイフで襲い、20人を殺傷しました（登戸通り魔事件）。エリートの元次官76歳が、引きこもりだった44歳の息子を、息子が事件を起こす前に殺しました（農水事務次官長男殺害事件）。２０１６年には、中学受験で思うように勉強しなかった小学校6年の息子を、父親が殺しています（名古屋教育虐待殺人事件）。２００８年には25歳の男が秋葉原の交差点にトラックで突っ込み、車を降りて歩行者天国を歩く人々を次々にナイフで襲い、17人を殺傷しています（秋葉原通り魔事件）。この犯人はインターネットの掲示板に「負け組は生まれながらにして負け組なのです。まずそれに気付きましょう。そして受け入れましょう」と書き込みを残しています。２００１年には、37歳の男が小学校にナイフを持って侵入し、無抵抗の小学生と教師23名を殺傷しています（附属池田小事件）。

インターネット上では引きこもりの人を「社会的な信用など失うものが何もない」という意味で「無敵の人」と揶揄し、すべて自己責任のように責める書き込みが止みません。行政は次々と事件が起こってから、やっと引きこもりを個人の事情ではなく社会現象と捉えて、重い腰を上げました。8050問題、孤独死問題、無差別テロと結びつけて、個々の家族を救済する方向に動き始めたのです。

他者を評価しないでいることは、大きな忍耐と寛容を要します。コミュニティが大きければ大きいほど、集団には厚みや余裕が増えていきます。小さな集団では一人ひとりの役割が多すぎて、また家長の個人的な価値観が影響し過ぎて、人間が自由に考えて行動する余裕がありません。ムスリムの集団（コミュニティ）をウンマと呼びますが、ムスリムにとってウンマを広げることは使命であり、祈念でもあります。大きな集団の中では人間は寛容になることができ、自分や他人の役割を探すことができて、他者の有り様を許せるようになります。神が一人ひとりに与えた役割を理解し、万能主義や完璧主義を放棄して、それぞれを認められるのです。その寛容さこそ、人間の価値を矮小な基準で測らずに、神から預かった命そのものを慈しむ原動力となります。最終的には、神の恵みや慈悲だけが生命を生き長らえさせるとムスリムは知っているのでした。

私たちにはアッラーがいれば万全である。かれは最も優れた管理者なのだ。（クルアーン　イムラーン家章173節）

第10章 アラブに孤独死はない

「孤独死」は人間社会の営みに照らすと異常極まる結末

老人が誰にも看取られずたった一人で死亡する。それだけでなく、死んだ後も誰にも気づかれず、何日も何週間もあとに腐乱死体、あるいは白骨となって見つかる——こんなことは、人間が普通に生まれ普通に生きるまっとうな社会において、異常極まりないことです。どの世界に照らし合わせても、戦時下でもない住宅街で、人が亡くなり腐るまで発見されないなんてことは起きません。それが平和で安全な先進国、三権分立の確立した法治国家である日本で、年間2万8千件も起こっているのです。

この数字は1日に全国で76人の孤独死があることを表しています。人口1億2千万人の国家なら76人なんて小さい数字だと思うかもしれません。しかし葬式を出したことがあればわかるでしょうが、一人の人間が死ぬのは大変な出来事です。その人は確かに誰かの子であり、誰かのパートナー、または誰かの親であったかもしれないのです。行政は毎日76人分の身元を辿らなければならず、死者を葬り、特殊清掃人を雇って部屋を片付けなければなりません。犬猫が死ぬのとはわけが違います。人間を尊厳を持って死の世界に送るのに誰もいない――それは社会のあるべき姿ではありません。

東京都監察医務院による「取り扱った自宅住居で亡くなった単身世帯の者の統計（2018年）」によると、東京23区内の自宅住居で亡くなった65歳以上の単身世帯は、2003年以降、男女ともに最高値（5953人）を記録しています。これが東京の孤独死の実態です。このまま孤独死を放置しておくと、日本はとんでもない孤独死王国になってしまいます。

アラブ社会では孤独死はまずあり得ません。自分の肉親や親族をそのように放っておく人間がいないからです。たとえ当人が自由を愛し、孤独を気にしない性格であっても、反対に底意地が悪く迷惑ばかりかけているような人でも、誰かを独りで死に向かわせることは、人間として非常に罪深い行為とされています。

もちろん死は誰にでも訪れ、一人ひとりが直面しなければなりません。運命（死ぬ時期や環境）は神が決めることで、人間、ましてや当人が決められませんが、希望を失った人間がゴミ屋敷のよう

どんな老人でも家族の一員であることは変わらない。

な場所で孤独に生き続け、地域社会がそれを放っておき、結果的に誰にも気づかれないまま本人もゴミの一部のように死亡している——人間社会をそんな恐ろしい場所にしてはいけないとムスリムは信じます。そんなことを自分のコミュニティに許したならば、その一員である自分が決して神に許されるはずはないのです。

おひとり様とは誰のことか

日本は高齢者が多く、65歳以上は人口の25%にも達しています。その中でも一人暮らしの数は年々増え続け、1980年には88万人（男性約19万人、女性約69万人）だったのが、２０１５年で３８６万人、２０２０年の推計では７０２万人、40年間で9倍にもなっています（内閣府の調査より）。この数字はＵＡＥの全人口に匹敵します。

日本ではやたらと「おひとり様」を推奨し、独りであることが自由で解き放たれ高潔な生き方であるように表現されます。確かにその中には職業を持ち、経済的にも独立し、趣味や娯楽を通した仲間と付き合って生き生きと生活する方がいるでしょう。同時に、子どもに迷惑をかけたくないからと交わりを避け、老後に不安を持ち、経済的に切り詰めて、他者と疎遠になりがちな生活をしている方もいるはずです。これだけの人口が一人で生活していれば、消費社会がこの層を無視することはありません。「独りでも立派に楽しく生きていける」と持ち上げ、大切な顧客として扱います。しかし、そんなキャッチコピーをアラビア語に翻訳しても、意味は通じません。独りであることと、高潔に生きることはまったく別物だからです。

現代の日本では高齢者世帯の4世帯に1つが独居です。同じ内閣府が発表した「一人暮らし高齢者に関する意識調査」（２０１４年）によれば、一人暮らしの高齢者の悩みや心配事は「頼れる人がいなく一人きりである」ことが上位でした。一人暮らしをすることで健康や病気に対する不安を訴える人が多い一方で、「誰かと一緒に暮らしたいか」という質問に対しては、76%が「今のまま一人暮らしでよい」と回答しています。

しかしながら「孤独」が不健康の大きな要因であることは説明する必要がありません。英国では２０１８年に孤独問題対応大臣が任命されるほど深刻です。英国人口６５６０万人のうち「社会的

他者と交際を持たない、あるいはほぼ持たない人の割合

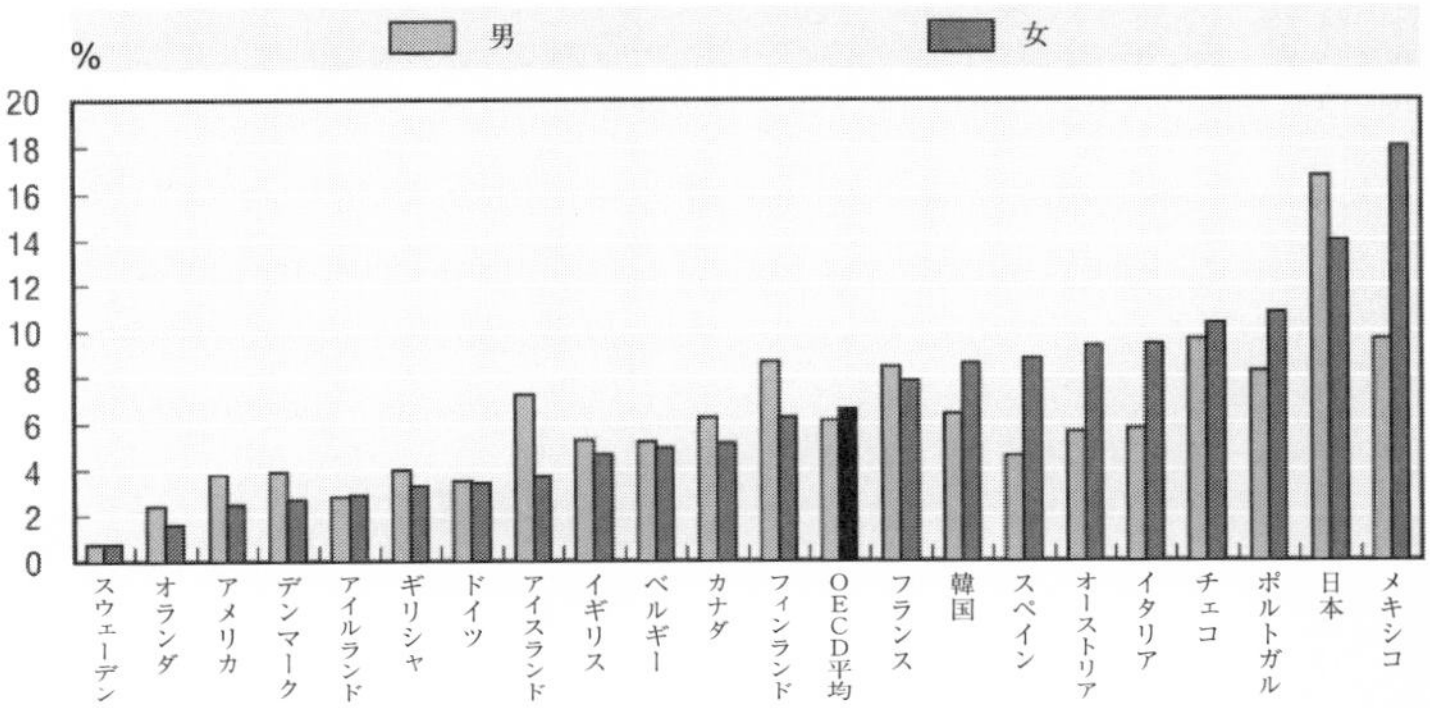

出典：経済協力開発機構（OECD）、2005年

孤独」を感じている人が900万人以上いるとされ、孤独による経済的損失は年間320億ポンド（約4・9兆円）と試算されています。孤独は万病を誘発する大元であり、自己放棄へとつながります。孤独でありながらも高潔で幸福な人生を全うせよと奨励する社会に、実は年間2万8千件もの孤独死があるなんて、とても異常なことです。残念ながら現在の日本では、どれほど悲惨で凄惨な孤独死現場であっても、さほど驚きをもって迎えられないほど、〝単なる事実〟となってしまいました。もはや孤独死やゴミ屋敷のニュースを聞かない日はなくなり、何ら衝撃的でもなくなりました。

上の表は、2005年に経済協力開発機構（OECD）が行った「社会的孤立」に関する世界レベルの意識調査です。日本の高齢者、特に男性は、世界的に見ても社会的な孤立感を感じる人の割合（男性の17％、女性の14％）が突出しています。この結果と孤独死の数値をみれば、関連性は明らかです。

ハーバード大学の心理学者ロバート・ウォールディンガー氏の研究グループが、「幸せになる方法」について75年間もの長期の追跡調査を行い、2015年に発表しました。調査はふたつの異なるグループ（片方はハーバード大学の学生たち、もう片方はボストン地域のその日暮らしの子どもたち）を対象に、1940年代から三世代に渡って、彼らの幸福感を追跡しました。これほど長期に行われた調査は世界でも珍しく、初期の対象は男性だけでしたが、後半からは女性も含まれています。

興味深いことに、その調査結果は、対象者の年齢、性別、社会的ステータスがどのようであろうと、ひとつの単純で明快な答えを示していました。幸福をもたらすのは富や名声ではなく、交際する人数の多さや、結婚・離婚の有無ばかりでもなく、周囲の人間と暖かい良い関係を築いていた人が、最も幸福で、最も長生きすることでした。自分の近しい周囲、とくに家族やコミュニティとの信頼関係は、人間を健康に保ち、脳機能を守り、人を幸せに長生きさせます。反対に、他人と距離をとり孤独にある人は、大きな幸せを感じず、中年から健康を損ない始め、早期に脳に機能障害が起こり始めて、寿命も短くなります。大事なのは関係のクオリティで、愛情が薄く喧嘩ばかりしている結婚生活では、離婚した人よりも健康に悪い影響を与えます。幸せをつくり、与えることは実は簡単で、自分の身近にいる人に愛情を注ぎ、よい関係を保とうと努力することに他ならないのです。

最悪の人間は、一人で食べ、助けを断り、奴隷をぶつ奴だ。（アラブの諺）

家族を持つススメ

日本では結婚しない人生もありと考える人もいるし、経済的に苦しくて結婚できない若者も多いようですが、イスラームでは結婚して家族を持つことを奨励しています。社会の基礎は家族で、成年男女が結婚し、子どもを産み、家庭を築くこと、コミュニティに参加することは、ムスリムの大事な責務と考えられています。

イスラームでは性欲を肯定しています。他宗教では性欲を汚いものと捉えたり、聖職者や僧侶は結婚してはいけない規定がありますが、イスラームではそんなことはありません。人間の身体を創ったのは神なので、性欲や生殖本能も神の創造物と考えます。性交は夫婦間でのみ行われるというルールの下に、性欲は人間の自然な欲求とされています。結婚しなければ、人間の元来持つ性欲を満たすことができず、家庭を築いて社会の礎となる権利を放棄しているのと同じなのです。

まっすぐ妻のもとに帰り、妻と交わるがいい。そうすれば、その欲望を追い払うことができるのだから。（ムスリムとアブー・ダーウードのハディース）

おのれの妻と交わることはサダカ（情愛のある慈善）である。（アブー・ダーウードのハディース）

ムスリムが結婚するためには、男性が女性にマフル（婚約金）を払い、結婚後は男性が生活費を稼がなければなりません。これはクルアーンにあるので、金額はどうであれ全世界のムスリムが行っていることです。アラブ世界では高額なマフルが社会問題で、若い男性の結婚を阻んでいます。社会が結婚を奨励しているのに、実質的に男性が結婚できない現象は、イスラーム社会の成り立ちを、根底から崩しかねない社会問題に発展します。それゆえ、男性に仕事を与えないまま放っておく風潮はありません。学業成績が悪く字を書くのもおぼつかないような男性でも、最終的にはどこかで仕事を得られるようになっています。「仕事がなければ結婚できない」、「妻子がいるのに仕事が見つからない」と主張する男性に向かって、支援しない行政や団体は少ないのです。

結婚する者は、それで信仰の半分を果たしたことになる。（バイハキーのハディース）

あなた方の財資をもって良縁を探し求め、面目をはずかしめず、私通のようでなく、結婚しなさい。（クルアーン婦人章24節）

歯科医院での驚き

私は15年前くらいのある時、国営の歯科医院に行きました。受付に少し歳上の男性がいて、支離滅裂なことを言って怒るので、恐ろしくなって家に戻ってきたことがあります。夫に話すと近所では有名な男性でした。男性は小学校3年生の時、アラビア語は右から左に書くよう教わったのに、英語は左から右に書くと言われて腹を立てて学校を辞めてしまいました。だから読み書きが出来ないまま、20年経って歯科医院の受付に座っていたのです。私は怒って「なんでそんな人が受付にいるのよ？　あれじゃ予約を入れようったって入らない。受付くらいまともな人を置くべきだ」と言うと、夫は笑いました。

「歯科医院は以前、彼をオフィス内の仕事に就かせたんだ。でも何も務まらなかった。受付なら対人関係だけだから、事務仕事で支障をきたすより問題が少なかったんだろう。彼にとって一番気に入った仕事が受付だったし」と言うではないですか。

「それじゃ、わざと受付に置いたの？　あんな人を？」私の怒りは収まりません。

「誰だって仕事をしなければ生きていけないんだよ。僕の町では、皆、あの人が受付にいると知っている。予約で困るともう一人の女性が何とかしてくれるんだけど、きみが行った時にたまたまいなかったんだろう。そんなに腹を立てるもんじゃない。そういう人だって世の中にはいるし、彼にも家族がいるんだから」と言われました。町中の人が、彼は受付業務さえろくに出来ず、それだけでなく予約を取りに来た人たちに怒ったり説教したり、わけのわからない行動をとると知っています。しかし誰も彼をクビにしようと動いたり、公に訴えないことは本当に不思議でした。

また私の町には海洋研究センターがあり、そこに夫と同世代の文盲の男性が働いていました。彼は小船を操ったり養殖魚にエサを与えるのはできるのですが、それ以上のことは担えません。その彼もとうとうリタイア（勤続25年）となり、職員は退職祝いに小舟を贈りました。まだ若いので年金が下りる年齢ではないし、今後は漁をしながら生活できるように援助したのです。そんな心遣いを私は不思議な気持ちで眺めました。日本だったら、学校がありながら通わなかった人に、お金を集めて舟を贈ったり、彼のせいでもっと仕事が増えるのに勤務させ続ける職場があるとは思えませんでした。

企業からすれば、生産性の低い人を雇えば大損です。ろくに働かない人を雇ったら、他の人の仕事も増えてしまいます。予算は限られているし、どの企業だって優秀な人をたくさん雇いたい。仕事の遅い人やノルマを果たせない人は要らないのです。しかし、誰にでも仕事は必要です。また仕事を持たせることで一人前の人間に育てるやり方もあります。他人の結婚する道や家庭を築く権利を阻んでも、誰が得するものでもありません。それじゃ一体どうするか。コミュニティを豊かに継続させていくためには、どこに目をつぶるべきか。

産油国だから心配がないのだと勘違いしてはいけません。石油が発見される前だって、過酷な自然は存在し、愚者や弱者はいて、それでも集合体は生き延びてきました。男性は自分の家族のために漁をしたり、畑をつくったり、家畜を飼っていました。石油が出たから、末端の者まで面倒をみ始めたわけではありません。集団の富を循環すれば、ある程度は末端まで行き渡るという意識はずっとあったのです。そうでなければ、貧困が広がって部族員は少なくなってしまいますから。

信徒たちは同胞である。神の絆でしっかりと結び合い、けっして分裂してはならない。（クルアーン部屋章10節）

あなた方は一団となり、人々を正しいことに招き、善を命じ、悪を禁じるようにしなさい。これらが成功する者である。（クルアーン　イムラーン家章104節）

アラブの名前

他人は他人、自分は自分という独立精神や考えが悪いとは、現代アラブ人だって思っていません。

若いカップルは親とは別の家を持ちたいと願っているし、敷地が広くても義兄弟と一緒に住もうとは思わないし、未婚の小姑といつまでも同居したい嫁はいません。しかし、だからといって肉親の絆まで切ってしまうのは極端です。アラブには「絶縁」という関係性はありません。イスラームには出家は許されておらず、家族と共にウンマ（イスラーム共同体）の中で生きることを推奨しています。何があっても息子は息子、父は父。喧嘩して腹をたてようと、しばらく疎遠になっていようと、血縁は決して切れないのです。

それは名前を見てもよくわかります。アラブの名前は血族と出身を明確に伝えます。たとえば私の息子の名前は Hamad Yousef Khalfan Hamad Tahnon Al Ali です。親が名付けた本人の名前はハマド（Hamad）だけ、あとはすべて出自や部族がわかるようになっています。Hamad（本人の名）Yousef（父の名）Khalfan（祖父の名）Hamad（曽祖父の名）Tahnon（家名）Al Ali（部族名）というのが正式な名前。それによってどの部族の誰の息子で誰の孫か、しっかりと血筋をたどることができます。アラブは父系血統主義なので、母親の名前も国籍も部族名も記載されません。子どもは自動的に父親の国籍を踏襲し、宗教もムスリムの子どもはムスリムです。

女性は結婚後も氏名をそのまま名乗ります。結婚したからと言って、本人の血筋は変わらないからです。人間はどのような場合でも先祖とつながり、キノコ類のように見知らぬ場所から胞子が飛んできてポッと出現したのではないと考えます。ちょっと不便なのは、結婚した女性は、夫との関係性が名前だけではわからないところです。そのため権利を主張する書類（相続や土地購入など）には、女性の名前に夫の名前を併記する場合もあります。例えば、マリアムという女性の名前が、正式には、このように書かれます。Mariam Mohammed Al Dhahri, wife of Abdullah Salem Al Muhairi アブドラ・サーレム・アルムヘイリの妻であるマリアム・ムハンマド・アルダハリ、となるのです。ここでやっと婚姻関係の証明が名前についてきます。これをみても、いかに血族や部族とは一生切れない関係にあるかがわかるでしょう。もし誰かが路頭に迷ったら、その人の血族はすぐに見つかって、同部族に保護される仕組みになっています。

家長とはだれか

先年、長いこと患っていた義父が亡くなった時、夫は「あぁとうとう僕は Head of the Family（家長）になった」と感慨深そうに言いました。アラブはどの家でも最も年齢の高い男性が家長になります。その時夫は、私と5人の子どもたちを含めた7人家族の家長と、義父の残した家庭（再婚相手＝継母とその母親、腹違いの妹。年齢は45歳～90歳）の家長と、別宅にいた実母の、実質的な家長になりました。

1930年代生まれの義父は、石油発見以前に生まれた多くの湾岸人と同じく無識字でした。少年の頃まで真珠採りで海に潜っており、真珠産業が崩壊してからは漁業、港湾、運搬など、身体が続く限りいろいろな仕事を担いました。私が結婚した頃、50歳を過ぎていた義父はすでにリタイアしていました。その後、長年の過酷な労働がたたって身体のあちこちに故障が出始め、次第に寝たきりとなりました。国は老齢のUAE国民に、一律に年金を支払っています。義父は勤務や給与記録が残っている世代ではないので、その額はわずかでした。しかし誰にとっても義父は私たちの家長でした。

日本的に考えてみたらどうでしょう。読み書きを知らない、教育のない、収入のない老人、介護が必要な寝たきりの年寄りを、一族の長とみなして尊敬するでしょうか。家長の意思決定がなければ何事も（娘の結婚も、賃貸などの契約も）進まないようになっているでしょうか。アラブ社会の父親は、家族の責任を何十年も一身に背負って生きた証として、亡くなるまで家長であり続け、尊敬されます。世話を受けているか自立しているかで人間を測る基準はありません。人生がどのような状態になろうとも、「神様がそのように導いた」という以外の解釈はないのです。

汝の主は定めた。ただアッラーだけを崇拝するよう。そして両親に対して善き行いをなすようにと。（クルアーン夜の旅章23節）

老人ホーム

ドバイの敬老会館にて。エネルギー産業省が主宰した慰労会。

UAEには老人ホームがありません。老人ホームという名の施設はありますが、日本でいう敬老会館のことで、昼間に男性が集まって一緒に遊んだり話したりする場所です。宿泊施設はなく、夕方には家族が迎えに来て帰っていきます。主に男性専用なのは、女性はいつも家族と集ってしゃべるから孤立する心配がないためで、その点は日本と共通しています。

老人はどこに住んでいるかというと、息子や娘の家にいます。別に厄介者として存在するわけではありません。人によっては長老として尊敬されるけれども、皆がそういうわけでもない。普通はただ家族として一緒にいます。将来子どもに面倒を看てもらおうと考えて歳をとる人間はいませんが、それでも末は一緒に住むことを前提にしています。

2020年前半は新型コロナウイルスが全世界に猛威をふるい、多くの町がロックダウン（都市封鎖）しました。UAEも例外ではありませんでした。3か月経ってようやく感染者が減り、勤務状態を元に戻すとなった時、「乳児と妊婦と老人と障害者がいる家庭は優先的に在宅勤務」と発表されました。ところがあっという間に取り消されて、全員が平等に出勤するよう変更されました。そんな優先権を示したら、UAE人で出勤できる人が一人もいないからです。それだけ多くの家庭に多様なメンバーがいるのです。若い夫婦であれば乳児がいたり妻が妊婦である可能性は高く、中年となれば両親を養っています。20世紀まで医療機関が少なかったために、障害者がいる家庭も多いです。最近になって自閉症センターや障害者スポーツ施設などができ始めましたが、そうした施設に通える人は限られています。集合体が力を合わせて弱者の面倒を看ている社会体制を、奇しくもコロナウイルスが確認させてくれたのでした。

アッラーはあなたたちの犯したあらゆる罪について、ただのひとつを除いて、審判の日までその懲罰を猶予してくださる。その罪とは、両親に背くことである。それを犯した者には、アッラーはその人が死ぬ前に、生きているうちに懲罰を加えられる。（バイハキーのハディー

ス）

敬老のススメ

アラブ・イスラーム社会では歳老いた人間だけで生活する状況にはならず、家族の誰かと共生します。同じ敷地内かもしれないし、同居かもしれない。私の住む首長国で、たった一人で高齢者が住むのを見たことはありません。なぜなら老齢に達した親を引き取って面倒を看るように、神は命じているからです。

両親には孝行し、近親や孤児、貧者や隣人や遠い縁者に親切でありなさい。（クルアーン婦人章36節）

両親に優しくしなさい。両親のいずれか、あるいは両方があなたのもとで老齢に達したならば、決して彼らに向かって軽蔑を表す言葉をかけたり、不快な思いをさせたりしてはいけない。敬意のこもった言葉で話しなさい……そして「アッラーよ、どうか二人にお慈悲をお授

け下さい。幼い頃二人が私を大事に育ててくれたように」と祈りなさい。（クルアーン夜の旅章23〜24節）

私がUAEに来たばかりの頃、隣家に高齢のお婆さんがいました。老婆は私たちが結婚した翌日に、祝福しに訪ねて来てくれました。私を抱擁してキスすると、自分はソファの前の床に座ろうとします。あわてて席を譲ったら「自分は床が好きなので（昔の砂漠の女性は皆そうだった）いらない」と老婆は断りました。私も床に下りて老婆の横に座ると、その時から私を大変可愛がってくれるようになりました。老婆と私はもちろんひと言も言葉が通じず、老婆の会話は地元のアラブ人でもなかなか理解できないような方言混じりでした。彼女は毎日私の家に来ては、短時間だけ座ってお茶を飲み、好きなことを話して帰っていきました。この不思議な毎日のルーティーンを、私はちょっと煩わしく、理解しがたく、しかし興味深く思っていました。

隣の一家は若かったので、母親を通り越して祖母の面倒を看ているのかと思ったら、よく聞けば、老婆は身寄りのない人でした。過酷な環境の時代に子どもに先立たれる人は結構いました。私が結婚した30年前（一九九〇年）でも、UAEの各家庭に文明の利器が揃っていたわけではありません。私が結婚したどの家も大きくはなかったし、家長の給料は低く、メイドも少数でした。それでも、7人の子を持つその一家は、老婆が亡くなるまでひと部屋を与えてきちんと面倒を看ていました。東京から来たばかりの私は、「こんな奇特な人たちが世の中にいるんだ！」とただ驚いていました。

しかしその後、私は多くの事例を知るようになります。数年前のこと、私の女友だちの家に突然老祖父がやってきて、一緒に住むことになりました。聞けば、彼女の夫の祖父（母親の父）で、母親は別宅にいるのに、祖父だけ移って来たとのことでした。老祖父は歩けず居座《いざ》って動くために、敷地内に急遽バリアフリーの離れを建て増して、世話係のインド男性を雇いました。老祖父はときどき駐車場からおーいおーいと人を呼んで、どうして自分が歩けないのかと客に尋ねたり、この見知らぬ家に閉じ込められて嫌だと訴えたり、面倒を看ている家長（孫）に向かってお前は誰だと怒鳴ったり、あらゆる迷惑行為をしましたが、誰も気にする人はいませんでした。私はその家を訪ねるたびに、老祖父に同じ質問「あんたは誰だ？　どこから来たんだ？　誰の妻だ？　この家に何の用があるのだ？」を訊かれ、毎回同じように答えていたので、彼が亡くなったときは一抹の寂しさを感じるほどでした。

その家には高校生の息子がいて、時に支離滅裂なことを言う老爺にキレて大声で言い返していました。すると、小太りのお父さんが飛んできて「おい、お祖父さんを相手に怒鳴ったりするな。謝りなさい」と怒ります。「嫌だ！　滅茶苦茶なこと言うんだぜ。やってらんないよ！」と息子が文句を言うと、「アッラーは親に逆らうことを好まれない。何があっても言い返すもんじゃない」と父が言い、アッラーの名前を出された息子は黙って、渋々お爺さんに近づいて額にキスをするのでした。その途端、お爺さんはディズニー映画のお姫様が王子様にキスされたように、すっと正気に戻って「あぁお前はいい奴だ。気をつけて出掛けなさいよ」と言いながら、ゆっくりと離れに戻っていくのでした。その光景は滑稽なほどいつも同じで、まるで映画のフィルムを何度も巻き戻しているようで、私は半分呆れながらも人々の心の大きさ、寛容さに深く感心していました。

葬式に金は要らない

実際問題として重要なので書きますが、アラブでは葬式にお金は要りません。イスラームの葬儀は迅速かつ簡素に行います。死亡から2日以内に終えねばならず、普通は死亡の当日あるいは翌日の午後の礼拝（15時頃）までに埋葬するので、遠くにいる遺族は死に目に会うことも出来ません（砂漠では死体の腐乱が早いためと思われる）。人は亡くなると専門施設（多くは病院）で湯灌され、服や装飾品はいっさい身に着けずに白い布にくるまれます。そのまま担架に乗せられ、埋葬地のすぐ隣にあるモスクに運ばれ、立ったままの葬儀の礼拝が行われます。そこから担架は男性親族の肩に担がれ墓地に向かい、管理人があらかじめ掘っておいた穴の脇に置かれます。男性親族が穴に下りて、最後の横穴を掘り、右脇腹を下にして、マッカの方角に顔を向けられ埋葬されます。人間（アダム）は土から創られたので、土に還すために土葬し、火葬は禁止されています。湯灌も布も担架も霊柩車も墓地も礼拝も、コミュニティが提供します。死亡から埋葬まで、棺、死装束、祭壇、セレモニー、花、墓石などが必要ないため、お金は一切かかりません。亡くなった人が女性でも葬儀は男性のみが出席し（女性は別に家で弔問を受ける）、担架を墓場まで担ぐのも、墓穴を掘るのも親族・近隣者の男性が担います。親族に男性が少ない場合もあるので、良く知らない相手でもコミュニティの男性が揃って葬儀を手配し、誰もいないまま埋められることはありません。

葬式に金が要らない、入る墓（コミュニティの共同墓地）がある、誰かが弔ってくれる、という安心感は何にも代えがたいのではないでしょうか。貧乏人でもお金持ちでも身寄りがなくても同じように葬られるなら、歳を取っても何も心配せず、アッラーのご加護を信じて毎日を生きればいいだけです。後のことはすべて、次世代の人間がイスラームに則ってやってくれます。イスラームは時代、社会、環境、立場が変わろうが教義を曲げることは許されず、教義以上（派手に葬儀をすること）も、教義以下（葬儀の省略）もしません。クルアーンを一字一句まで変えることが許されないのと同様に、それは許されないのです。老人に向かって、自分の面倒は最後まで自分でみて葬式代を貯めてから死んでくださいよ、なんてイスラームでは絶対に言わないのです。

（葬儀の礼拝の章句）

アッラーよ、あなたのしもべをお赦しください。この者を正しく導かれた者たちの列に加え、死後に残される子孫たちの守護者にしてください。私たちとこの者とをお赦しください。宇宙の主よ、この者の墓所を広々とした光あふれる場所としてください。（ムスリムのハディー

扶養のススメ

老人ばかりとは限りません。私の向かいの家では孤児が養育されていました。向かいのお婆ちゃんは子だくさんで、週末になるといつも、子どもや孫を大勢迎えてにぎやかに過ごしていました。そのうち一人だけ外見の違う子どもがいたので、誰の子かと尋ねると、孤児（自国に帰ったメイドに捨てられていった子）を育てているのでした。その子はお手伝いのように住んでいたわけでなく、戸籍上は養女となって成長し（イスラームでは養子は相続の対象とはならないので、血族からの抵抗や反対も少ない）、老婆の長男が私立大学の費用を出して、三男が小さな車を買い与え、ちゃんと大学を卒業させました。今も老婆と一緒に慎ましく暮らしています。私にとって、子どもが12人もいて実収入もない60歳過ぎの老婆が、さらに孤児を引き取るなんて理解できませんでした。いかにイスラームが孤児を養育するよう奨励しても、預言者ムハンマドが何人もの寡婦を娶って孤児を育てたとしても、実際に自分が養子を取るのは別問題です。

先日、お婆ちゃんを車でつれてきた（私の義母とお婆ちゃんは親友である）ついでに、すでに成人した孤児を我が家の応接間に招き、お茶を出しました。孤児は「先のことはわからないけれど、お婆ちゃんが生きている限り最後まで私がお世話する」と言っていました。老婆が亡くなれば彼女の居場所はなくなるかもしれないし、仕事が見つかるか結婚できるかもわからない。でも、アッラーのご加護にすがって何事もお任せして生きるつもりなのでしょう。彼女のような立場の人が先を心配したり不安がれば、それこそ一歩も先に進めません。人々の慈悲を信じるしかない。捨て子だった自分が心ある誰かに拾われ、大学まで行き、曲がりなりにも成業（学位）を身に付けることが許された、これからも心ある人に出会えるかもしれない、同じようなチャンスを得られるかもしれないと神に祈るだけです。

アッラーにお任せする者たちには、かれは比類なき協力者・叡智者である。（クルアーン戦利品章49節）

子どもたちに憐れみの情を持たない者、年長者に敬意を払わない者は、私たちの仲間ではない。（ティルミーズィーのハディース）

また別の話。娘が通っていた学校の父兄に、残念ながら殺人事件が起こってしまいました。生まれつき聴力に障害があった父親が、妻の不貞を疑って殺してしまいました。父親はすぐに自首して投獄されました。猟奇的な事件でもなかったし、近所は皆その人たちを知っていたので、大きな噂にはなりましたが、事件に尾ひれがついて広がることはありませんでした。

その家には小学生の幼い女の子が2人残されました。時々用事があって家の近くを通ると、娘は言いました。「あの子たち、まだちゃんと学校に来るんだよね。でも見ていて可哀そうなの。制服にはアイロンがかけてなくて皺くちゃなの。髪も梳かしてないし。通学バスで家の前を通ると、門からちょっとだけ見える家がすごく荒れてて、悲しいんだ」。幼子2人だけで生きていることに驚きましたが、メイドはその日に逃げてしまったし（給与を払ってくれる人がいなくなったので当たり前）、母親は外国人だったので親戚はいませんし、父親の親戚が生き残っている保障もありません。「誰かがちゃんと毎日ご飯をくれるんだよね」と私は訊きました。「そりゃあ当たり前に近所が食事はくれるだろうけど、お掃除とか洗濯はしてくれないよ」と娘は言いました。

〝当たり前に〟という言葉を聞いて、あぁそうか、貧者に食事を与えるのは当たり前なのだ、そうでなければ今日明日にも死んでしまうのだから、と思いました。子どもに罪はなく、両親を失ってどんなに心細いかと私にもわかっていながら、自分が隣家だったら、と私は想像しました。これから何年も続くであろう毎日の食事の世話を続けられるのか。荒れた家の中がわかりながら食事の世話だけと線引きできるのか。姉妹がそれ以上の問題を抱えてしまったら自分は関われるのか、さまざまな煩悶があり自分にできるか自信はありませんでした。しかし、事件から10年も過ぎた今は、姉妹は父親と静かに暮らしています。

自分のよく知る人々が、困っている他者を扶養する様子を実際にこの目で見ることは、私にとって非常に興味深く、感銘深いものでした。赤の他人を扶養するなんて恐ろしく大変だと、普通の人なら怖気づきます。責任を持てない。自分は関わりたくない。面倒が起きたら大変だ。自分には能力がない……。しかし、アラブの人々は実に自然に、毅然として、他者を援けていきます。

彼らは別に大した人格者や慈善者でもなく、見た目も普通のさえないオジサンだったり、店のウィンドウをのぞき買うか買わないか迷うような主婦たちです。扶養している相手の前で、「あれは高すぎて買えないよ」とか「次の給料日まで待ってて」と平気で言えてしまう、まったく俗世に生きる人々です。あの人たちにできるなら、こんな私でもできるかもしれない、準備しなくても今日から始められるかもしれないと思わせてくれる、何ら気構えのいらない人々でした。

現実問題、そこにセイフティネットとして男性家族の厳しい監視システムがあるから、それが可能なのかもしれません。困窮する側に社会的・金銭的に関わる（養子縁組を整えたり、学費を払ったり、食事を渡しに行ったりする）のは男性の役目です。女性がたった一人で直接困窮者と交わることはありません。それゆえ安心して行動できるのは大きいはずです。やらなくたって別に社会的なお咎めはなく、やれば天国は近づきます。男性家族も相手が困窮者であれば、「やるな」と命じる根拠もありません。このような善行を見る時、私は素直に「あの人たちは天国に行くだろうなぁ」と感じます。自分もその自然な姿にあやかりたい。毅然として生きてみたい。気構えず悩まず行動してみたい……。

日本社会でも、こうしたお手本を実際に見ること、見せることは必要ではないでしょうか。喧嘩や行き違いや誤解は誰の生活にもあります。同じように不幸も貧困も不運もあります。それを人生の恨みとして当事者だけが抱えたり、社会や他者を憎んだり、次世代へ継承させないために、多数の人間が少しずつ参加してコミュニティの力で救っていくシステムが必要です。

悪魔は人間にとって狼のようなもの。一人ぼっちでいる者、群れからはぐれた者、さ迷っている者を捕まえる。だから枝分かれした小道を避け、大道を守りなさい。(アフマドのハディース)

役立たずという言葉はない

かつて子育ての間に私が使うと、夫がひどく困惑し、不機嫌になり、怒りだす言葉がありました。それは「役に立つ(useful)」という言葉です。夫はいつも、「その単語の主語は人間ではあり得ない、人間はそういう対象ではないのだ」と私に諭しました。役に立つという表現があるなら、役に立たないという表現もある。「役立たず」とは工具ドライバーがネジのサイズに合わない、蓋が排水口のサイズに合わない、リモコンがそのテレビの仕様に合わない、といった場合に使う表現だ。人間が他者の期待に沿わないとか、思惑通りに動かない、という場合に使う表現とはなり得ない。役目を持たずに創られた人間は地上には一人もいないのに、そんな表現をするのはおかしいと言うのです。夫は外国人の私に気を遣い、家ではアラブの習慣を強制しない人間ですが、そのときだけは「僕の家ではその言葉を決して使わないでくれ」と厳命しました。

また「便利」という表現も人間に対しては使いません。アラビア語でそんな表現がないのは、人間そのものが利便性を表す存在ではないからです。新しい機械やシステムが生活に安楽をもたらす、時間的にちょうどいいタイミングがある、段取りにはいい要領がある、などの表現ならわかるが、誰かが他の人間に対して便利に動くとか、便利な行動を取るという表現は有り得ないと何度も注意されました。私は東京で勤務している時に、「あれは使える人だ」とか、「彼は全く役立たない」などと、周囲の会話でいかに普通に使われていたかを思い出しました。それらの表現を何でもないことのように使っていた自分を思い出し、確かにそれらはえげつない表現だったと気づきました。生産性や効率をむやみに追求すると、人間的な部分をすっかり忘れてしまうのです。

都会に住み好きなことを自由にできる生活者にとって、神への感謝とか運命の享受などは、「え～何だって？」と首をかしげる別世界の言葉でしょうね。私にとっても以前はそうでした。感謝に値するのはまず自分の努力、友だちや家族の励まし、持って生まれた環境、自ら引き寄せた運命とチャンス。神様ってなんだ？　運命なんて仰々しい！

しかしそんな私でも、アラブの地で人並みに苦しい人生の場数を踏むごとに、「今の境遇に感謝する以外に、自分の経験や、つぎ込んだ努力や自負を、美しいそのままの形で残していける道はない」と知るようになりました。それは、神が用意した人生を努力して誠実に生きたという、自分だけが知っている答えの肯定です。努力したのにいい結果が出なかった、あの時あそこで間違った、あそこまで引き返せば人生はやり直せる――などと考え続けたら、現在を生きる意味はどこにあるのでしょう？　本当はそれ以外の人生などあり得ない、どこかで道を踏み間違ったように見えても、他に選択肢があったように見えても、実際にはそんなことは有り得ない。なぜならそう予定されていたから――。難民キャンプで暮らそうと、移民船で命を落とそうと、内紛に巻き込まれて地獄を見ようと、世界中のムスリムはこのように現在を否定せずに生きています。自分の人生は見えざる大きな力に導かれてここまで来た――素直にそう考えることができるようになった頃、つまり自分の境遇に感謝を出来るようになった頃、私は同じくらい、他人の人生の辛苦を慮《おもんぱか》ることができるようになりました。

究極の自己肯定

イスラームの持つ最も尊い美徳は〝自己肯定〟です。というと、日本独特の美徳である〝謙遜〟

の心がないと思われるかもしれません。確かにアラブ人は押しが強くて、頑固で人の意見を聞かず、こうと思えばそれ以外の道を通らない我儘な人たちにも感じられます。しかし、心の深い所では〝謙虚〟の心を持ちあわせ、神の前で人間の力の限界も知っています。

神は一人ひとりを計画をもって創り、寸分の間違いもなく、正しい時代の正しい場所に存在させます。人間の運命はそれぞれの額に（見えない筆跡で）すでに書かれていて、私たちには計り知れない壮大な、かつ緻密な計画の一部となっています。ムスリムは、生まれながらにして「自分は必要な人間である」と自己肯定する気持ちを持って育ちます。

人の額に書かれた運命の文字は、どんな水でも洗い流せない。（モロッコの諺）

自己肯定は生きる上で大変重要な知恵です。それがあるからこそ人間は他者を愛し、結婚し、子どもを生み、社会に尽くし、そして老齢になっても人生を悲嘆しないのです。自分なんて役に立たない、自分なんて必要とされていないと自己否定していては、種の持続という気持ちにはつながりません。幸せを人に伝授していく気持ちにもなれない。年齢とともに機能が低くなったら、迷惑をかけると心配して社会から隠れたり、どうせ独りなんだからとやけっぱちになったり、早く死にたいとネグレクトするようになります。しかし、ムスリムは神様の計画を心の底から信じ、神が自分を死なせない限り、この世に生きてする用事がまだ残っているのだと考えます。

イスラームの礼拝の最後には、座ったまま右を向いて「アッサラーム・アライクム（あなたたちに平安がありますように）」と挨拶し、次に左を向いて同様の挨拶をします。それはあなたの左右で礼拝している人への挨拶でもあるし、右肩と左肩に乗る天使への挨拶でもあります。ふたつの天使は人が生まれてから死ぬまで、一瞬たりともその人から離れることはありません。彼らはただ忠実にあなたの現世の行為を書き記しています。しかしそのおかげでムスリムはどれほど孤独が押し寄せても、どれほど危機的な状況になっても、たった独りになることはありません。神の計画を信じることと、ふたつの天使の存在は、ムスリムを孤独から遠ざけてくれます。

日本人のもつ謙遜は美徳です。しかし謙遜も度を越せば嫌味であり、他者が謙遜を求めるならパワハラと同じです。日本の企業や学歴社会が極度に成果だけを求め、一人ひとりの微細な役目や特徴を重視しないのは悪い習慣です。人間を役立つと評したり、人間の行為を利便性で計る癖、何事も自己責任と放り出す風潮は、集合体をどこへも導きません。集合体は（経済的・能力的に）貧しい大多数を犠牲にして、能力が高い人だけを目的地に到達させるマシンではないのです。集合体なんて境界線のはっきりしない、ぶよぶよした、暖かい、変幻自在の流動体でいいのです。中にいる人間が援け合いながらゆっくりと正しい方向に進んでいければ、それだけで大成功なのです。

親族の絆を断ち切ってはいけない。互いに憎しみ合い、嫌悪の情を抱いてはいけない。他人を羨んではいけない。アッラーが命じられたように、共に兄弟姉妹として生きなさい。（ム

スリムのハディース）

1970年代初頭のUAE。砂漠を渡っていく家族。

第11章 すべてに代償はある

理想的な社会なんてあるのか

今まで書いてきた内容を要約すると、アラブ・イスラーム社会には「イジメ」も「自殺」もない。「孤独死」も「過労死」も「セクハラ」もない。日本人が困っている（でもアラブ人なら困らない）「引きこもり」はどの家庭にもいるし、日本人が考える「負け組」の人たちだって、全然「負け」とは思わずに普通に社会で共存している。こんないい社会があるだろうか、こんな理想的なコミュニティがあるだろうか、と考えませんでしたか。

では本著の最初を読み直してみてください。大方の人が持つアラブの印象は、言論の自由がなく、厳しい宗教戒律にがんじがらめにされていて、テロが蔓延するのを許し、女性の自由を奪い虐げ、難民が溢れて、紛争が何十年も終わらず、超富裕層が貧しい国の労働者を搾取して生きている悲惨な社会――そう信じていたのではなかったでしょうか。

もしかすると本著を閉じた瞬間に、また同じような情報に惑わされて、「中東はひどいところだ」、「イスラームは危険だ」、「王様だか首長だかにみんな搾取されている」、「女性が不幸になる」へ戻ってしまうかもしれませんね。かほどに、現在の中東を陥れる情報は巷に溢れているし、遠い世界だからこそ人々は簡単に信じてしまいます。私が本著で書きたかったことは、思い込みを捨てて、新たな中東を発見してもらうことです。裏付けのはっきりしている国連機関や世界銀行などの数字とグラフを読み解いて、正しく理解する方が、外国のつくる噂話（それらはソープオペラと同じで人々の興味に喰いこみ、大変エキサイティングなのだが）を信じるよりは、ずっと賢い選択だと思いますよ。

エキサイティングな展開を求める群集心理からしたら、真実なんて本当はどうでもいいんじゃないかと感じる時もあります。しかし、それを決めるのは読者自身にお任せします。空虚でつまらない噂話でも信じたい人は信じるし、大勢が信じれば間違った内容でも真実のように見えてくるし、自分の目で判断するよりは簡単です。しかし、正しい真実を見極めるまでは結論を出さないと考える人は、本著をぜひ参考にして欲しいと思います。

すべてに代償はある

世界には、何かを得る代わりに何かを差し出すのを当然と考える人々がいます。ギブ・アンド・テイク Give and Take ですね。これを人間社会で上手に活かすには、バランス感覚と総合的判断力、俯瞰する視野が必要です。得るものが少なく差し出すものばかり多ければ、多くの人は憤懣を募らせるし、反対なら、安定するかと言えばそうでもない。なぜなら、人はたいがい今持っている幸福や自由や健康を正しく評価せず、さらに多くを求めるからです。今の自分に座標軸を合わせ、そこからの増減だけに注目し、本来の価値を見直そうとはしません。失って初めてその価値を知るのが大方の人間です。

ギブ・アンド・テイクの経験を積むと、その波がおおよそ交互に人生に起こり得ることを知ります。また自分のギブ（犠牲）が実を結ぶまで、長い時間を待たねばならない時もあるとわかってきます。ギブばかり続いてテイク（収穫）がなかなか来ない時も、〝時代を経て（自分には来なくても）いつかは誰かの上にもたらす〟と希望を捨てずにいられます。何ら犠牲を払わないままに突然テイクが訪れたら、きっと過去の誰かが授けてくれたものだと感謝したり、それなら自分も未来のためにひと肌脱ぐか、と決断できるようになります。辛抱や寛容が大切なのはこの点です。人生百年の時代に生きながら、辛抱が昔の人の半分だなんて、なんだか気の毒な話です。倍も生きれば、それらを味わうチャンスも倍になるんですからね。

〝モッタイナイ〟を創唱したケニアの環境保護活動家マータイ女史が、来日した時のインタビューで、「日本人はギブ・アンド・テイクがいつもテイク（収穫）から始まると考えています。どうぞギブ（犠牲）から始める勇気をもってください」と訴えていました。持つ者がさらに持つのを当然とせず、持たざる側に分ける役目もわかって欲しいと説いたのでした。

第二章を思い出してください。アラブ・イスラーム世界では、1400年間、神の教え（クルアーン）は一字一句変わらないと書きました。神から人間が授かった価値と使命は、未来永劫変わらず、時代に翻弄されないので、心の拠り所は動きません。多くのムスリムが精神的に常に落ち着いているのも、宗教的な要素が大きいのです。もちろん人間社会は日々発展しますから、その価値をとりまく状況は変わっていきます。そしてその時代時代に別の代償が現れます。代償はときに膨らんで人々を圧迫し、あたかも当然得るべき権利が侵されているような幻想を抱きますが、そうした感情を静めるのに一番に効くのが、1日に5回の礼拝です。ムスリムは神の恩恵を毎日単純に同じ言葉で感謝するため、その代償の天秤が大きく傾くことはありません。

もし日本にある諸問題が、アラブ社会のように（問題では）なくなる日が来るとしたら、日本社会は何を代償にするかを考察してみましょう。何を守るがゆえに、アラブ社会のような世界が訪れないのか。日本の持つ問題がない代わりに、アラブ諸国はどんな問題に苦しめられているのかを、考えてみたいと思います。

（礼拝で使われる章句）

アッラーよ、あなたが東西を遠く分け隔てたように、私と私の罪の間を遠ざけてください。

アッラーよ、あなたが白い服から汚れを取り除くように、私を私の罪から清めてください。

アッラーよ、水や雪やあられによって、私を罪から洗い清めてください。

自殺のない世界の代償

私は2000年頃から子どもを連れて、年に一度くらいの頻度で日本を訪れてきました。時には2、3年行かないこともあったし、用事があって年に2回行く年もありました。期間が空けば空くだけ、様々な日本の変化が目につきました。特に電車に乗ると、毎日のように「人身事故で止まっています」と車内放送があるのには愕然としました。子どもたちは、「ジンシンジコってなあに?」と不思議そうに訊きます。そのたびに「電車が人間と事故を起こしたことよ」と説明しますが、「電車と人間って……それって?」と次の言葉が発せられないほど慄き、驚きます。あたかも自分の乗った電車が誰かを轢いてしまったかのように。そして「どうしてまだみんな電車に乗っているの?」と訊きます。そんなことがアラブで起こったなら、誰だって心が壊れそうになって、しばらくは電車に乗る気持ちにならないでしょう。

それなのに東京へ行くたびに、最近ではほぼ毎日のようにどこかで人身事故が起き、通勤途中の人は事故など何でもないように、掲示板にある乗り換え可能な線をすぐに見定めて、足を止めることなく目的地へと急いでいきます。自殺のないアラブの国から来た人間にとって、こんな姿を見るのは驚き以上に恐ろしい出来事なのでした。

自殺のない世界に住むことを夢想したことがあるでしょうか。誰がどんなに困っても苦しくても死を選ばない。考えもしない。日本がそんな世界になったら、このことだけは何も代償を払わないと確約できます。誰かが自殺することで世界がもっと住みやすくなる、学校や企業や集団の業績が上がる、仕事が円滑に進むなんて、絶対に有り得ないのですから。

自殺がない国の人しか意識できないでしょうが、受験や恋愛や商売や借金などは、命を懸けるほどの対象ではありません。たとえ大きなトラウマを抱えようと、恋愛で大きな痛手を受けようと、借金が天文学的数字であろうと、時が経てば手を離れます。アラブでは借金取りも、恋人も、家族も、最後まで相手を追い詰めることがないから、人間が起こす大きな不幸を見ることがありません。もし追い詰めている人がいたら、周りの人間が黙っていないのです。返せないものは返せない、好きでないものは好きになれない、出来ないことは出来ない、じゃあ黙っていよう、神様が何とかしてくれるだろう――そう単純に信じることのできる有難さ。それを誰も否定しない社会に生きることは、原始的と言われればそうかもしれないが、深い平安を心にもたらしてくれます。

では失敗の責任は誰が取るのかと訊きたくなるでしょう。損害を被る方にしたら大問題です。アラブだってお金を工面できなければ牢屋に入るし、借金が目減りすることもありません。しかし究極には、お金や恋愛の問題も、学業や商売の失敗も、人の命を取るほどの重大事とはなり得ません。神様から預かった命を取る方が、ずっと深い罪、許され難い罪を犯したことになります。誰か（人間）が誰か（人間）を死に追いやるとしたら、たとえ法の裁きを逃れたとしても、神の裁きを逃れることはできません。自殺者（他殺者も）は来世で火獄に堕ち永遠に責め苦を受けます。金を返せず牢屋に入れられても、脅迫されても、神からの罰を受けるよりはずっとマシです。それゆえ殺人（自殺・他殺）はほとんどないのです。

全てのムスリムの生命と財産は、神聖なる預かりものだと思いなさい。……誰のことも傷つけてはなりません。そうすれば誰もあなたを傷つけることはありません。あなたたちはいずれ主にまみえ、その所行を勘定されることを覚えておきなさい。……あなたたちは危害を加えられることも不当に扱われることもありません……。（預言者の最後の説教）

セクハラのない代償

男性と女性が距離を持って生活すべきアラブ・イスラーム社会と、距離は自分次第という欧米諸国の価値観の違いから、諸々の軋轢が起こります。何をもってセクハラというかは、社会のあり様《よう》、時代、世相、家庭教育、また個人の思想によっても違います。同じムスリマでも頑張れと肩を叩かれてセクハラと感じる女性もいれば、挨拶で男性と抱き合っても平気な女性もいます。第7章に出てくる西欧女性であれば、ホテルの部屋まで男性を入れてもレイプされたら自分は被害者と考えるし、UAEの裁判所は「そんなことはアラブでは通用しない」と女性に処罰を下します。

セクハラには数値や基準がないため、代償を挙げるのは難しい。日本で一時話題になった#KuToo運動でも、どれほどの日本企業が実際に罰則を持って女性にハイヒール着用を強制したと数値を出せるでしょうか。それとも暗黙のうちに女性が「強制されている」と感じたのでしょうか。数値のない分析ではわからないため、ここではセクハラのない世界の代償として、日本側・アラブ側双方から考察します。

ほぼすべてを性別で分けている（そのためセクハラが起こらない）アラブ社会を、日本側から見ると、代償は単純かつ甚大と感じるのではないでしょうか。男女の出会いの場がない、知り合う機会がない、勉学や競争で平等に闘うチャンスがない、恋愛のチャンスがない。それゆえ結婚に結びつかない⁉︎ しかしそうとも限りません。勉学で平等に競うなんて、2018年になっても、日本の大学医学部の入試でさえ公然とやっていなかったことですし、スポーツなら最初からどの分野でも男女で分かれています。

恋愛に関しても、世界では恋愛結婚する社会はそれほど多くありません。戦前の日本もそうだし、国内に身分制度が温存される社会（インドを含む南アジア社会、アラブ社会、英国社会など）では、身分の違う人と恋愛しない方がずっと健全で安泰な生活が送れると思う方が圧倒的です。その善し悪しは個々の判断に任せるとしても、結婚について述べると、見合い社会の方が周囲が整えてくれる分、結婚率は高くなります。戦前の日本でもほぼ１００％の男女が結婚していました。

人間の動物としての種の保存本能、生殖本能は子どもを育てていく社会で実現します。経済基盤が安定しない集合体での子育ては難しく、最小単位である家庭の安泰、周囲からの支援が必要です。イスラームでは〝家族〟を社会の最小単位とみなし、寡婦も孤児もできるだけ家族に組み入れられるように推奨しています。

21世紀になって自由恋愛に障害はほぼないというのに、日本の未婚率（２０１５年時点で男性の約23％、女性の約14％）は上昇するばかり。男女の出会いの場があることが未婚率を減らす要因には結びつかないと考えた方がよさそうです。

アラブ諸国から日本社会を見ると、男女格差を学び社会に適用させる必要があるのは、実はアラブではなく日本の方だと感じます。世界経済フォーラムが発表した男女格差指数レポート（２０２０年）では、先進国はもとより後進国と比較しても低い１２１位。アラブ諸国は概ね同調査で世界最低の数字を叩きだしていますが、その理由は、欧米の基準が当てはまらず数値が出ないからです。例えば、政治参加のカテゴリーでは、どの国も国家最高評議会は元首（世襲制で男性）各1名が集まるだけ。要するに各部族の長老だけですね。女性だけの非公式なフォーラムが存在しても、調査の数値には入っていません。数値の出ている相続分配率、就職率なども、文化的背景を知らないと一様に比較はできません。それに比べ、日本は全部の数値が出ているのに、世界の最低辺です。

アラブ世界の男女の給与差に意味がないのは、「男性が女性家族を養わなければいけない」と神に規定されているからです。* クルアーンだけでなく民法でもきちんと保障されていて、UAEの結婚契約書には「妻は夫に扶養される権利を持つ」とあります。そんな規定があるなら男性が女性よりよほど多く稼ぐ社会構造でないと、男性はよけいに苦難を背負うことになります。イスラームのシャリーア法では、同様の理由から、男性は女性の倍を相続する規定になっています。

社会構造を詳しく分析すれば、GDPの高い産油国は男性が稼ぐので女性があまり労働市場に出ない、GDPの中程度の国では女性が家内勤務をするので数値（給与）として出てこない、GDPの低い国は内戦中などで女性は外に出ない。結局、就労の数値が出てこないのです。しかし基本的には、アラブの厳しい自然環境下で女性が外で働くことを強いる習慣はなく、ほとんどの国では年金受給の開始年齢や労働年数などが、女性を優遇した措置（UAE女性は20年間の労働で48歳から年金支給、UAE男性は25年間で53歳から）になっています。

加えて、第3章の最後を見直してください。アラブ・イスラーム世界の女性国家元首たちが、写真入りで載っています。これだけの女性元首が80年代からイスラーム国家にいるのは、〝氷の天井〟という表現が必要ないほど、女性が国政の場で活躍している証拠です。

結婚して子どもを産むだけが人間の幸せではないけれど、それらは人生の喜び、醍醐味を教えてくれます。男女平等を掲げながらセクハラ、未婚・少子化が続いている日本と、男女がはっきりと分業しながら結婚・扶養・養育、老後ケアが保障されているアラブ・イスラーム社会と、どちらが結果的には国や人の心を豊かにしているかは、21世紀の今後を見守らなければなりません。少なくとも、国際舞台にようやく歩み出たアラブ産油国には、まだ未婚、少子化、老後不安、孤独死などの問題がなく、人間の営みは正常に機能していると判断できます。**

* UAEでは男女の給与差はなく、夫か妻のどちらかに扶養家族手当がつく。どれほど多く妻が稼いでも、夫が生活費を出さねばならない。
** 2015年ぐらいからアラブ諸国で高学歴・高収入女性の未婚率が高まっている。

あなた方が一人の妻を他と替えようとする時は、たとえ彼女に巨額を与えていても、その中から何も取り戻してはならない。ありもしない中傷でこれを取り戻そうというのは明らかな罪である。（クルアーン婦人章20節）

UAE 最高学府カリーファ大学の卒業式。角帽を被った前方 4 列は女性。後方 3 列は男性。あきらかに女性の数が優っている。

世界大学対抗オフロードカーレースに参加した、カリーファ大学エンジニア・チーム。女性もたくさんいる。

若者省の審議官たち。優秀な女性はどんどん仕事を任される。

若い女性の承認欲求

女性が高等教育を受け、海外に行き、働き、昇級し、運転して好きなところに行く権利はクウェート、UAE、バーレーン、カタールなどではほぼ一般に認められています。が、他の中東社会ではそうとは限りません。内紛地ではそんなことは考えられないし、貧しい国にも当てはまりません。程度の差はあれ、アラブには、女性が社会に進出していく時に踏まければならない〝正当なやり方〟というものが存在します。それは欧米世界から見たらバカバカしい、笑ってしまうくらい時代遅れのステップかもしれません。

ある女性が外国で高等教育を受けようとしたら、まず国家奨学金をもらえるほどの学力を持たねばなりません（私設のものでなく、国家のプログラムに入ることが重要。信用度の違い）。奨学金試験に合格する必要があるし（私費なら行く必要はないと反対される）、大学の入学許可も得ることが必須です（そもそも語学留学なら意味がない。国内でも出来る）。ここまでのプロセスは男子生徒もまったく同じです。上記の準備が出来ないなら、親は最初から交渉のテーブルには着きません。国内に十分な大学（それも無償！）があるのですから。

それから家長（父親）を説得し、マハラムを見つけなければなりません。マハラムとは随行する男性親族で、たいてい父か兄弟、叔父などがなります。旅行中の女性の身元を保証し危険から守る役目があるマハラムは、アラブ社会の常識で、女性本人が必要ないと思っても、周りの人間を納得させるために必ず通らねばならないプロセスです。女性本人が健康であることもそうですし、無鉄砲でなく、慎重で、敬虔な性格であることも重要です。

そういえば、アラブの女学生を海外インターン生で受け入れる日本企業の人に、マハラムについてよく訊かれました。「23歳の大人の女性なのに、お父さんが日本まで連れて来るそうです。おまけに初日はお父さんまで会社を見に来るって言うんですよね。日本じゃ考えられないけど、アラブじゃそれが普通なんですか。お父さんは、ずっと娘さんと日本にいるんでしょうか？　こう言っちゃ悪いけど、お父さんはそんなに暇なんですかね？」。「お兄さんが日本まで送ってきて、弟さんが日本まで迎えに来るっていうんですよ。別に一人で電車に乗れないような子には見えないんだけどね。箱入り娘なんですね」。マハラムが会社を見に来るのは、娘をよろしくと挨拶するためと、娘にとって良い職場環境かを（男性と二人で密室に籠るような職場でないかなど）しっかり確かめにくるのです。日本人にしてみれば、「そんな箱入り娘がうちの会社に来て大丈夫かい？」という気持ちになるでしょうね。

父親（家長）を説得するのは、アラブ女性にとって越えるべき大きな壁ですが、越えられない壁ではありません。もし越えられないとしたら、それは本人の力不足か、きっと神は別の未来を用意して、その道を通るなと言っているのに違いありません。

家長をどう誘導するか

自分がどれほど努力をしても、家長一人の考え方でその保護下にある女性の人生が左右されるのは、確かです。家長が開明的な人であればいいのですが、いつもそうとは限らない。たとえば、アラブ人にしては開明的だと思っていた私の夫の話をしましょう。

我が家の長男は海外留学しましたが、一番の理由は、彼が希望していた専門学科（太陽エネルギー研究）がまだUAEの大学に無かったからでした。加えて、その年に初めて大統領奨学金がアブダビ以外の首長国の生徒にも支給されたことで、実現しました。普段はよほどのことがない限り、国土の85％を占めるアブダビ首長国（ほぼ唯一の産油首長国）は、それ以外の首長国の子弟に奨学金を出しません。しかし奨学金団体も行き詰まっていたのでしょう。いい大学で高成績を修める学生を輩出しなければ存在価値を疑われるので、全国で募集したのです。そんな幸運が重なりました。奨学金試験に合格した長男を夫はすんなりと許可して、留学生活は始まりました。

長女は高校卒業後に海外留学を一旦は考えましたが、ちょうど国内の最高学府が寮完備となった（他首長国の子女も入学できるようになった）ので、父親はそちらを勧め、留学を許可しませんでした。その後、長女は大学チームでオフロード車のデザイン大会（米国）に出場し、電気工学科のエネルギー・ラリー大会（米国）にも出場しました。両大会とも大学がマハラム（女性と男性教授ふたり）を用意したので、夫はすぐに渡米を許可しました。夏に2年間続けて中国の大学に語学留学した時は、夫が娘を連れていき、アパート（寮はあまりに汚くて入れなかった）を手配し、帰国時にはまた迎えに行きました。勤め始めてから最初の海外勤務（8か月間）になった時は、同行するUAE女性が5名いて、企業が寮も通勤バスも手配したので、夫はすぐに許可しました。しかし、2回目の海外勤務（1年4か月間）は女性は娘一人だけで、寒い冬を2回越すと言われたので、夫が許可しませんでした。おかげで娘は部署を変えられ、企業内で冷や飯を食うことになりました。

三男は米国の大学への留学を希望していましたが、長男の留学生活があまり順調ではなかったので、夫は強固に反対していました。決して首を縦に振らない父親に対して、三男は高校卒業後に1年間の兵役を終え、UAE国内の大学に通いながら米国大学の試験を受けて、奨学金を勝ち取り、あらゆる悪条件を見事に全部クリアして、3年経ったのちに米国へ留学しました。奨学金オフィスが正式に留学を認めたのは、実は、大学入学式の1日前でした。半分は無理かもしれないと思いながら、三男はどちらに転んでもいいように荷物とチケットを準備していました。留学許可が出た時、最後まで父親が許可しないとわかっていたので、とうとう彼は面白い行動をとりました。奨学金オフィスから証明書をもらい、その足で父親のオフィスに行き、父親の部屋のドアを開けたまま、大きな声で「大学から入学許可をもらい、奨学金も受給し、チケットもある。明日から米国へ留学する」と宣言したのです。オフィス内部は全面ガラス張りだから、突然息子が訪ねてきたことは、省内の皆が注目しています。そこへもってドアを開け誰にでも聞こえるように宣言したことで、夫は不意打ちを喰らい、大勢の皆が見守る前で「そうか、おめでとう」と祝福する以外ありませんでした。これは三男の戦略勝ちです。

次女は国内の大学（建築科）に入学し、内陸の砂漠の町で寮生活を送っています。長女の時代と違い、2014年に原油価格が暴落してからは、どの大学も外国の競技大会にチームを出す余裕はありません。その分、学内で様々なイベントを催し、さらにインターネットの普及で、国内にいながら多様なコースが受講可能になりました。次女は夏期留学や外国のコンペには興味を示さず、もっぱらコンピュータの複雑な機能を学んで、建築の世界に没頭していました。しかし、インターンシップだけはどうしてもアラブ世界以外の場所でやりたいと願っていました。他国の建築事務所はどのように機能的に働くかを、知りたかったのです。とうとう万難を排して父親を納得させ、2020年初春から日本の建築事務所に勤めることが決まっていました。しかし、結局このたびのコロナ禍で日本に行くことは叶いませんでした。次女の落胆は深かったものの、どれだけ努力しても神がその道を拓かないこともあると、ムスリムなら知っています。

第7章に出てくる国外へ逃亡したアラブ女性たちは、イスラームの正式なステップを整える努力をせず、国外へ出る道を選んだのでしょう。煩わしくても時間をかけてちゃんと整えれば、アラブでも誰にも何も文句を言われることなく勉強も留学もできます。だからこそ多数の女子留学生が続いているのです。しかし実力の伴わない人は、時間と段取りのかかる努力をせずに手っ取り早い道を選ぶことがあります。ついでを言えば、中東で最も保守的と思われているサウジには、とびきり優秀な女性がたくさんいます。各種の学業オリンピックで中東で最も優秀な成績をとるのは、サウジの女子高生です。国内には女性を育てる教育現場が十分にあり、実際に世界で活躍する科学者、医者、法律家など、サウジ出身の女性が多数いることを、皆さんは知っておくべきです。

イジメのない社会の代償

イジメがない世界に生きている安泰は、本当に何にも代えがたい。何をイジメと捉えるかにもよりますが、イジメの対象となる部位（外見、出自、性格、癖など）について、本人が反論したら一発です。「神はこのように私を創った」と毅然と主張する人に対し、否定できる人間などいやしません。イジメは相手に対して優位に立つことを目的にしています。天国へ行くことが究極の目的であるムスリムには、現世の優位など取るに足らないことです。そんなことをあくせく現世でやり、その場限りの優越感を味わっても、天国へ行く道が遠ざかっては意味がないのです。

自分の部位を恥じることなく生きるには、〝究極の自己肯定〟を脳に沁み込ませて養育する必要があります。しかしそれは簡単ではありません。ただ「神がこのように創った」と養育すれば、「じゃあもう運命は定められているのね」と諦めムードになったり、「私の運命はどうせこの程度」と投げやりになる気持ちを避けられないからです。それをポジティブな側にもっていき、「神は人が自ら変えようとしない限り、決して人間の運命を変えられない」（クルアーン雷電章11節・戦利品章53

ます。

節）と養育していくのは、アラブ世界でも大きな試練で、常に自由意志と宿命論の対決となってい

イジメがない学校生活にするには、教育現場の意識を変えることが必要です。特に日本のように、学校だけは治外法権とされ、その中にいる子どもは各家庭の価値観からも離され、集団行動とルールを守ることが強制される聖域は、早晩変わらなければいけません。イスラームは政教一致で、宗教の教えが社会全体の価値観を形成し、家庭でも学校でもひとつの概念の下に子どもを養育しています。子どもたちは学業成績や交友関係に深く支配されることはなく、それゆえ学校でイジメに遭わず、意識もしない環境で育ちます。

それが職場になると、業務上の責任が追及できなくなる問題が生じます。「なぜ出来なかったか」、「なぜ時間内に終わらなかったか」と上司が怒って、「神がそう望まなかった」と部下が応えるとしたら、責任の所在がないからです。これでは何事も進まない。それゆえ企業は最初からいい人材を雇用する必要があり、同時に、従業員全員をアラブ人にしない、全員をムスリムにしない工夫が必要です。全員が口を揃えて同じ言い訳をしたら、生産性はまったくなくなってしまいますから。

職場イジメの典型である〝仕事を教えない〟人間を、上手に牽制・監視するシステムも重要です。いまやＵＡＥの銀行や私企業、病院、研究所などには様々な国籍・宗教の人間が配置されています。国家機密の部署にまで外国人がいることは、原子力開発も、通信事業も、国家防衛策も、弱みを握られているのと同じです。また外国人が数年ごとに入れ替わるせいで、ＵＡＥ国民が育つチャンス

が失われ、いつまでたってもゼロからのスタートで独り立ちできません。これは外国人労働者に頼る国家の究極の代償で、監視の目が厳しくなければ、国を売られる危険さえあります。

そのような中で、UAEで2014年に宇宙工学研究所が設立されました（ドバイ宇宙工学センターは2006年に創設）。そこは研究者・技術者からドアマンまで全員がUAE国籍の人間で固められているとの噂を聞きました。関係者以外は立ち入り禁止なので、入館したことのある夫の友人に聞いたのですが、「玄関に入ってから外へ出るまで、UAE人だけにしか会わなかった。館内の全員が同じ服を着ている職場（UAEの男性はディシダーシャという白い長衣、女性はアバーヤという黒い長衣）は生まれて初めて見た」と興奮していました。建国から50年、最初の大学ができてから40年、国内の若手研究者がようやく育ち、層を広げてきたことの証です。2018年には日本の種子島から、UAE国民だけで造った初めての人工衛星が打ち上げられ、2020年7月には火星探索ロケットが発射されました。この火星プロジェクトは「Arabs to Marsアラブ民族を火星へ」と銘打たれ、すべてのアラブ民族に捧げられています。中世ではアラブが世界の科学の中心地で、自分たちは近代科学を率いた民族の子孫だという自信を取り戻すための、プライドを賭けた一大プロジェクトなのでした。*

* ホープと名付けられた火星探索ロケットは、2021年2月9日に火星の軌道に入った。

アラブが非アラブに優るわけではありません。白人が黒人に優るわけでもなければ、黒人が白人よりすぐれているわけでもありません。優越があるとすれば、それは敬虔さと善行においてだけです。（預言者の最後の説教）

勝ち組、負け組がない代償

勝ち負けの土俵がアラブと日本では全く違うと書きました。勝ち組や負け組といった人間を表層で分ける概念がないアラブ社会からは、その代償はなかなか想像がつきません。反対に訊きたいのですが、日本で勝ち負けを言わなくなったら、あなたは何を失うでしょうか。

他者より優位に立つ欲求は日本人には殊に多い、と海外メディアで読んだことがあります。日本では人間が二人いると必ず優劣をつけずにはいられない国民性がある、神の前で一人の人間として立つ習慣や歴史がないため、命が平等と考えられないのかもしれないとありました。日本では八百万の神でさえ優劣がありますからね。もしそれが真実なら、個人の意識から優劣の概念を取り払うのは難しく、男女、年齢、経歴、美醜、貧富、出自など諸々の比較対象を、大きな強い力だけが超えられるようになります。それが戦争だったり、日本をたびたび襲う大地震、大洪水、大噴火といった自然の脅威なのかもしれません。災害後、国民は団結して乗り越えようと援け合いますが、それが長引くと、福島出身者への偏見であったり、コロナでの医療従事者へのバッシングのように、再び優劣をつける対象になってしまいます。つくづく一つの神がない社会は難しいと思います。

イスラームの神は一つ（もちろんそれは神道のように人間ではない）で、勝ち負けは現世にはなく、闘う土壌は現世でのスンナ（信徒が従うべき規範）にあり、武器は自分の行為だけ。ムスリムにとっては、目の前にいる人間はライバルとはなり得ず、現世にあるものは優劣の対象にはなりません。

優劣をつけたがる性格の人なら、勝ち負けのない世界はつまらないでしょう。優秀であればあるほどそうかもしれない。しかし神の前での優秀さは、学業や仕事上の成果とは別物です。厳しい自然環境では、生きる知恵と勘がものを言います。男性は家長として一族を背負う勇気と決断力を求められます。女性は自分が持っているものを最大限に生かして、家庭を安泰に回していかねばなりません。

神は、原則として人間に無理を言いません。学業で突出しろとも、万人を救えとも言わない。人間はもともと弱い存在だと神は知っています。ムスリムが人間を測る基準は、ただスンナを守っているか、礼拝するか、喜捨を納めるか、ハラームを守っているか（酒を飲んだり法を犯さないか）、男女関係がルーズでないか、信用のおける人間であるか、などの点です。人間社会で勝ち負けを判断しないがために失うものは、本当は何もありません。自分のちょっとした満足感が欠けるだけです。優劣をつけずに人をみる目は、厳然たる一人の人間として、自分の頭で考えることで培われます。

学業・経歴・職業はその参考になる程度なのです。

アッラーはあなた方の負担を軽くするよう望まれる。人間は生まれつき、弱いものに創られている。（クルアーン婦人章28節）

引きこもりを出さない社会

第9章で書いたように、アラブには引きこもりという概念がありません。女性や幼児、老人が家にいるのは大前提だし、彼らを外（厳しい自然下）に出す理由がそもそもありません。障害者を抱える家庭もたくさんあります。我が家の近所で数えてみても、横並びの20軒で障害者がいる家庭は4戸、寝たきりの人がいる家は2戸、老人がいる家庭は20戸全部、これほど外に出ない人々がいます。それ以外の健康な体を持った成人男性は、全員が全員、家から出て何らかの仕事をしています。もちろん優秀な人もそうでない人もいます。企業や省庁に勤めない人の多くは、軍隊や警察組織に職を見つけ、それが叶わなければ農業や家畜業や漁業に従事します。どんな男性も家族を持つ権利があることは、第10章で書きました。

引きこもりを出さない社会は実に毅然としています。それは社会全体がそれを許さないからです。

健康な男性が壮年になっても働かず収入を得ていなかったら、社会（コミュニティ・近所）が許しません。年老いた親の年金を使って生活費に充てていたら、親族が許しません。女性の稼ぎを当てにしている男性がいたら、裁判所が許しません。男性自身も、生活費を稼ぐことが神の言葉である以上、食わしてもらえるから家でゲームをしていよう、などとは絶対に思いません。家族を養えないのは男性の深刻な問題なので、コミュニティ全体でどうにかしろと行政に訴えます。

その点では、金曜日にしつこく礼拝に誘われたり、親族男性から手伝いを要請されたり、モスクのイマーム（管理者）に説教されたり、おせっかいや世話好きが社会にたくさんいることを男性は覚悟しなければなりません。煩わしくてたまらなくても、神の教えに沿っているので彼らは辞めません。辞めないなら共存する（諦めて一緒に行動する）しかなく、それをイスラーム社会の弊害と考えるか救済と考えるかは当人次第です。結果、アラブに引きこもりはいないのだから、そこを評価するしかありません。

アラブでは、責任を家族に転嫁することはありません。外で辛いことがあり物事がうまく行かなくても〝家族のせいだ、親の教育が悪かったからだ〟、という甘えがありません。〝反抗期〟という青春の一過程がアラブ世界にはまったく存在しないのも、そのような理由からです。「意地悪な親にはこう反抗してもいい」とか、「縁が切れた親族は知らぬふりをしていい」と勝手な妄想を抱いたりもできません。ましてや母親に暴力を振るうとなれば、即刻牢屋行きです。イスラーム社会は母親にひどい仕打ちをする子どもを決して許しません。

ある人が尋ねた。「すべての人のうち、私がこの手で一番大切にすべき人は誰ですか?」。預言者は、「それはあなたの母親です」と答えた。男は「では2番目は?」と尋ねた。預言者は、「それもあなたの母親です」と答えた。「その次は?」と尋ねると、「それもあなたの母親です」と答えた。「その次は?」と尋ねると、「今度はあなたの父親です」と答えた。（ムスリムのハディース）

マジレス・デモクラシー

UAEには人生の悩みを相談する、とても人気の高いラジオ・TV番組が2、3あります。番組中なら誰でも電話をかけて困難や苦しみを訴えることができ、オンエアされた案件は大概、番組内で解決策を見つけてくれます。お金で解決することもあるし（物が欲しい、巡礼に行きたい、医療費が必要など）、誰かが話をつけてくれる時もあるし（弁護士を探している、職を見つけたいなど）、知識を教えてくれる（この事案はイスラームでは合法か非合法か、この怪我には何が効くかなど）場合もあります。番組は大きなスポンサー（企業も個人も）をたくさん持っていて、アナウンサー独自の判断で資金から援助を出す時もあれば、スタッフが関係団体に交渉して解決する場合もあるし、リスナーが名乗り出て支援する場合もあります。番組を聞いていると、世の中には様々な苦しみや悩み、欲求があることがわかります。

家族を養うべき男性が仕事がないと訴えれば、アナウンサーが細かい経歴をオンエアのまま尋ねます。すぐ面接に来いと企業が番組に電話をくれる場合もあるし、スタッフが関係団体に訴えてくれることもあります。政府も番組に届く訴えを真剣に追いかけて、庶民に不満のガスが溜まらないように気をつけています。

番組では死ぬほどの思いを打ち明けて泣き出す人もいるし、とんでもなくバカな欲求をねだる人もいるし、外国人が嘘を並べて詐欺をしようとする案件さえあります。しかし、そこは老獪なアナウンサーが「なんでそれが欲しいの?」、「それがあれば、あんたの人生はどう変わるの」と尋ね、リスナーに「みんな、どう思う?　誰かこの人を援けられる?」、「これは援助に値するかね?」と訊きながら、決して負けず、そして時には驚くほどの慈悲を見せて、個人的な要求に応えたりしています。

こうした番組は、〝マジレス・デモクラシー〟（かつて小さなテントで庶民と首長が直接話し合い、問題解決をしていったアラブ特有の民主的な統治方法）の名残りで、今では大きな国家となり首長と直接話す機会がなくなってしまった庶民が、本当に困ったことを訴えられる私設機関になっています。〝お救い小屋〟の機能を果たしているといってもいいでしょう。これらは庶民を決して絶望には導かず、諦めずに人々に慈悲を乞うこと、神はつねに慈悲を与えることを教えています。

かれらは言った。「私たちは真理によって吉報をあなた方に伝える。だから失望してはならない」。彼らは答えた。「迷った者のほかに、誰が神の御慈悲に絶望しましょうか」。（クルアーン　アルヒジュル章55、56節）

過労死のない代償

過労死がない社会を立派な環境と捉えますか。それとも未成熟な、原油収入だけをあてにするレンティア国家の弱みとみますか。産油国は地面を掘るだけで石油が湧くから働く必要を感じないのだろうと考えますか。第1章で書きましたが、中東で石油が発見されたのは、わずか90〜60年前です。

1930年代生まれの夫の父親は、15歳の頃からずっと海の仕事をしていました。かつてUAEを始めとするアラビア湾岸の地域には、真珠産業以外に産業らしきものはありませんでした。その真珠産業も1930年代から徐々に廃れ、戦後の義父は小さな船でクウェートからオマーンまで仕事のある場所を移動しながら生きていました。船は一度出港すると何か月も帰らず、戻れば何か月も家にいる生活だったようです。その話を聞いて、「家にいるのも収入がなくて大変ね、でも家に

アラビア湾の真珠船。小さな船にすし詰めに乗り、3〜4か月も接岸しないまま採取を続けた。

いないのも家族は大変ね」と笑うと、夫は何もわかっていない私を憐れんで言いました。

「何か月も船で出ると、戻ってきた時には身体じゅう怪我していたり、極度に弱っているんだよ。それを元の身体に戻すのに時間がかかるんだ。それに何か月も家族と一緒にいないんだから、家でずっと家族に囲まれていたいものさ。じゃないと何のために働くかわからないからね」。

世間では、でっぷり太った怠惰な金持ちがアラブ人の典型と思われていますが、ほんの少し前までは、過労死・事故死だらけの厳しい生活でした。砂漠では灼熱や渇きのために命を落とし、海ではサメや嵐に襲われ、山岳の農地では滑落や怪我があり、医療機関がないから小さな怪我でも命とりでした。身体を壊してまで働きたくはないと誰もが思っていたはずです。

アラブ人の目には、日本の一般的な父親たちは、不思議な生き物に映ります。朝は慌ただしく家を出て、毎日残業し、夜は同僚と飲みに行き、戻って来るのは子どもが寝静まったあと。休日はゴルフをしたり麻雀をしたり。盆と正月くらいしか子どもの顔を見ないなんて、まったく非人間的な生活です。いつぞやアラブの新聞で紹介されていた、〝帰宅難民〟と呼ばれる父親たちへの憐れみも深いです。夕方の忙しい時間に父親が帰宅するのを嫌う妻に「帰ってこないで」と言われるとか。家族のために働く父親が帰宅を拒否されるなんて、まずもって信じられません。日本社会はそうした家族の在り方を、また労働の仕方を、修正すべき時が来ているのではないでしょうか。昭和的な働き方は30年間の経済低迷を経て、あまり効果的でないとわかりました。同じ年月で、東アジアや東南アジア諸国がめざましい経済成長を遂げながら、日本だけ過労死するまで働いても抜け出せません。パワハラも、成長の鈍化も、外国人労働者がいなければ立ち行かない状況も、根本的な労働の仕方を変えずに上辺だけを修正してきたから解決できないのです。家族が死んでしまう直接の危機がないなら、過労死するまで働いて成さねばならないものなど、本当は世界にないものです。

ぶら下がる人間をどう養うか

集合体の話は美談ばかりではありません。世の中には働かない人が必ずいます。知能にも肉体にも問題がないのに、働かずにいい目を見ようとする人です。分業制の悪いところは、労働に過多と過小ができて、「いいとこ取り」する人と「実益のない人」が出てくることです。私は子どもたちを学校に入れている間、びっくりするような分業制に何度もお目にかかりました。分業というよりはまったく不均衡で不平等の、頭にくるような搾取制度に近いものでした。

わかりやすい例えをすると、小学校での話です。4人がつくる科学チームの宿題が「コカ・コーラから砂糖を抽出する実験」だとしましょう。日本人なら普通、4人で一緒に実験をすると考えます。あるいは4人それぞれが同じ実験をして、結果を持ち寄り、最も整合性の高い結論に導き、4人で発表するでしょう。しかしアラブの分業制は違います。

A君はコカ・コーラと鍋を買ってくる役目、B君はコカ・コーラを鍋に入れて火にかけ実際に抽出する役目、C君はB君の書いた実験メモをパワーポイントで清書する役目、D君はC君の書いたものに写真やイラストを加え、音声やアニメーションを使ってお洒落な発表に変える役目を受け持ちます。どう考えてもA君の仕事は簡単すぎるし、B君は仕事量がありすぎます。B君以外の人は実験に関らず、B君一人のやり方で実験をやるから正確さに疑問が残ります。実験をしてもいないC君が書くからパワーポイントは意味不明の内容になり、D君は発表をお洒落にすることだけが目標だから、経過が順不同になったり結果が曖昧になります。これでは仮にB君がちゃんと実験をしたところで、いい発表には仕上がりません。おまけにたいていの場合、A君あたりが公の発表をやりたがり、コーラを買っただけで何も貢献していないA君の顔が前面に出て、4人の中で一番いい成績と印象を得るのです。

B君は「なんだアイツ、いいとこ取りしやがって」と怒りを募らせますが、A君は「僕がいなきゃ（金銭的な貢献をしなければ）誰もまともに実験にこぎつけなかった」と自負し、C君は「実験内容が悪いと文句が出たのはまったくBのせい」と主張し、D君は「俺のプレゼン技術がなければ、だれも見向きもしなかったつまらない発表だ」と威張ります。この分業は、一人がちょっとでも遅れると他者にしわ寄せがいくし、一人が間違えれば結果を正解に戻す検証方法がなく、発表する人物だけが最高得点を得るという悪癖があります。発表した者以外は全員が不満で、実験をした者以外は誰も中味をわかっていません。社会すべてが分業制度だったら、どれだけ不満がでるか想像できますか。

いいとこ取りを得意とする人は分業制度の隙をついてすべてを自分の手柄とし、BやCやDのような人間を自分の周囲に侍《はべ》らせることが実力と思い込みます。つまり誰かを知っている、誰かとコネがあることが実力となり、長い間の力の貸し借りがモノを言って、科学技術の検証主義や実証主義が育たない。これはアラブ社会のひとつの大きな試練です。

また集合体システムの悪癖は、多くの場合が理想通りにいかないこと。富裕層から貧困層へ富が流れていくと承知しているから、えげつない人々は、シャンパン・タワーの一番上から流れるシャンパンを我れ先に受け取ろうと、富裕層に群がります。イスラーム的な理想社会では、本来なら重力によって正しくまっすぐ均等に流れていくはずのシャンパンは、一部が異様に大きいワイングラスに変わっていたり、下側のグラスが外されていたり、大変な歪《ゆが》みようです。これは〝個々の宗教心〟という、量や力を測れない分子が結合してつくられている集合体だから、それこそ神頼みなのです。大多数の宗教心が篤ければうまく行くときもあるし、私利私欲に毒されていると歪みだらけです。

このような試練が山積みになっているアラブでは、科学技術がなかなか育たないために工業立国になれず、石油に頼る経済から脱却できず、そしてカローシはありません。ないのは素晴らしいけれど、じゃあどうやって未来を築くのか、どう改善していけるかが課題です。今までの章に引用してきたクルアーンの言葉を再び読んでみると、これにぶら下がる人たちの自己正当化が、浮かび上がるようではないですか。

信徒はひとつの建物の部分のようなものである。それぞれが互いに他の部分と支え合っている。（ムスリムのハディース）

信徒たちは同胞である。神の絆でしっかりと結び合い、けっして分裂してはならない。（クルアーン部屋章10節）

アッラーがあなたたちのために伸ばして下さった綱に、みんな一緒にしっかりとすがりつき、分裂してはならない。（クルアーン　イムラーン家章１０３節）

金持ちの代償――大商人の役割

ムスリム社会にはワクフという制度があります。ワクフとは大まかにいえば〝財産寄進制度〟です。資産のある人が私費を投じて学校、病院、モスク、救貧院、水道施設などを建て、一般市民に提供し、そこから上がる収益を永続的に〝喜捨〟にあてるシステムのことです。このおかげで、現代とは比較にならないほど格差社会だった中世や近代でも、貧しい人たちは恩恵を受けてきました。ノブレス・オブリージュとして知られる西欧の道徳観は、時代と社会の変化に応じて、対象者もやり方も量も変わってきました。しかしムスリムの場合は、神の指示ですから、資産家が時代をみて神に忖度することはありません。

ワクフの特徴は、寄進した建物や団体が機能している限り（恩恵が社会に行き渡っている限り）、本人が死亡した後も〝徳〟が増え続けることです。現世で行った善行に加えて、死後にも徳を積み続けられるのは魅力で、そのため現代まで多くのモスクや病院や学校が寄進されてきました。

現在、世界の経済を支配しているGAFA（グーグル、アップル、フェイスブック、アマゾン）といった巨大企業は、どれほどの寄付をしているでしょうか。世界中の人間から収益を吸い上げながら、その国ごとに払うべき法人税を極力回避しています。2015年にOECD（経済協力開発機構）が公表した試算によると、無形資産のタックスヘイブン（租税回避地）への移転による国際的租税回避によって、全世界の法人税は1000億〜2400億ドル（1ドル100円で換算すると10兆〜24兆円）も失われています。これは全世界の法人税収の4〜10％にも相当する額です。

国際貧困支援NGO「オックスファム」がダボス会議（世界経済フォーラムの年次総会）に合わせて2020年1月に発表した報告によると、世界の最富裕層2153人は、最貧困層46億人（世界人口の60％）よりも多くの財産を保有しています。同じ報告書で、世界の最富裕層1％が、わずか0・5％の追加の財産税を10年間支払えば、高齢者介護と保育、教育、保健の業界に1億1700万人分の雇用を創出できるとあります。

では、ここで思い出してください。ムスリムは毎年、余剰財産の2・5％を寄進するのが義務です。もし神の命令に従って、年に一度、極端に集中している富の循環が全世界的に起こるなら、世界はどう変わるでしょうか。生きている時間では使いきれないほどの富を持つ〝億万長者が払う犠牲〟とは、どれほどのものでしょうか。これら億万長者の中にムスリムはほぼいないと、第6章で書きました。各国の政府が税を払えと命じても、何百人もの専門家・法律家を雇って犯罪ギリギリの脱税法でかわし、巨大企業が絶対に払わないなら、人間とはそのような創造物なのです。とすれば神以外の誰の言葉が、人間に富の循環を促すことができるのでしょうか。

アッラーの道のために、あなた方の富を使いなさい。自らの手で破滅に身を投じてはならない。善いことをしなさい。アッラーは善を行う者を愛される。（クルアーン雄牛章195節）

信仰の正しさとは、あなたたちの顔を東や西に向けることではない。そうではなく、本当の正しさとは、神と最後の日と天使たちと聖典と預言者を信じることであり、自分の財産を——神への愛から——親族や身寄りのない者、貧しい者、旅人、（あなたの援けを）求める人や、奴隷を解放するために使い、礼拝を行い、定められた喜捨を行うことである。また約束したことは必ず守ること、辛い時も苦しい時も、どんな逆境に陥っても、毅然として耐えていくことである。そういう人が誠実な人であり、神を畏れる人である。（クルアーン雄牛章177節）

頭脳明晰の代償

有形財産だけが代償の対象となると思ったら違います。立派な人格や頭脳を持った人もまた、イスラーム社会ではそれなりの代償を払うとされています。神がより多くの能力を授けた者は、より多くの責任を担うという通念があるからです。

能力がある人は努力する人でもあります。努力した者にとって知識や技術は財産です。寸暇を惜しんで学問し、資金や時間を投じて勉学に充て、自分を律して精進した人たちが、その他の（あまり努力をしなかった）多くを援けなければならないなんて、不公平に感じませんか。そんな腹立たしいことはやりたくない！　と日本人が思っても不思議ではありません。

しかしアラブでは少し違います。努力する意志も精進できた精神力も含めて、神が与えてくれた能力と考えます。イスラーム世界には貧しい人や恵まれない人がたくさんいます。それぞれのスタート地点や道のりが違うため、同じ努力をしても到達できる場所は違います。より遠くまで行けた者は、それが出来なかった人を援けながら生きるのが、最終的には、集合体を幸福に継続させる知恵だと教えられます。

収入や財産に対する率というはっきりした基準がある喜捨とちがって、明晰さや賢さを測る物差しがないので、その一部を提供するかしないかは、これも神頼みです。家族、部族、民族、コミュニティ、ウンマ、国家など規模の違う集団がその人にとって知識を分け合うに値するかどうかで、知識の提供も違うわけです。長兄が家族のために学位を使って働いてくれるかもしれません。ある人がコミュニティのために知識をありったけ集めて川に橋をかけてくれるかもしれません。第8章にある巡礼のように、イスラームのために巡礼者は命懸けで旅に出て何世紀も知識の交換をしてきました。科学の進歩はイスラーム帝国が人類のためにユダヤ人やギリシャ人から知恵を借り、何世紀もかけて発展させてきました。

いま、新型コロナウイルスのワクチンを作るために、世界はやっきになって研究しています。多くの医者や医療関係者や感染した患者たちが、自分たちの経験をもとに、新たな医療の可能性を提示してくれています。果たして、金儲けを脇に置いて、人類はそうしたヒントを未来のために正しく使っていけるでしょうか。自分たちの子孫、未来の人類に対する喜捨として、現代の人々が知識を提供できるかどうか、神は私たちに厳しい試練を与えています。

あなたたちは一人ひとりが羊飼いであり、皆自分の群れに対して責任がある。（ブハーリーのハディース）

孤独死のない社会の代償

私はまず読者に問いたいのですが、あなたは孤独死のない日本になることを望みますか。自分の親や家族、知り合いや恩師、パートナー、あるいは未来のあなたの子どもでもいい、誰にも看取られずに亡くなり、ウジがわき、肉体が溶け、ドロドロの体液になって床に滲み込み発見されるなんて悲劇が絶対に起きない社会を望みますか。イエスかノーだけで答えてください。イエスと答えた人は、それが動かぬように、自分の心をそこにピンでしっかり留めてください。

孤独死のない社会にするためには、1かゼロかで考えない思考法が必要です。自宅に引き取って介護するなら自分は会社を辞めなければならない。親が田舎に住んでいる場合は仕事を辞めて引っ越さなければならない。そうなれば夫婦どちらかが仕事を続けるために別居しなければならない。親を施設に入れるなら全財産をはたかなければならない……。そんな計算方法では全員が不幸になり、不幸をもたらす老人を悪の根源と感じてしまいます。

世界中の年寄りは我儘です。文句ばかり言って、頑固で、ときに不潔で、支離滅裂で、困りものです。でも生まれた時からそうだったわけではありません。今のあなたのように、若かりし頃はオシャレして、一生懸命働いて、友達と盛り上がって、毎日ご飯をつくり、あなたが怪我をさせた相手に謝りに行き、先生に無理をお願いしに行き、退職したら空気の抜けた風船のように萎み、少しずつ何かを諦め、少しだけ何かを希み、年老いてきた人々です。生まれた時から悪の根源だったわけじゃない。ましてや望んでなったわけじゃない。

1かゼロかという悲壮な覚悟を捨てて、百点満点のうち30点とれたら合格と考えるしかありません。本当なら20点でも私は大満足だと思います。では一緒に計算してみましょう。

あなたが世話をする側なら、今の生活を100点と考え、持ち点は100です。同居したら自由度が減ってマイナス10、遠い親の家に移らねばならなくてマイナス10、職場を変えねばならなくてマイナス10、妻が仕事を減らさねばならなくてマイナス10。夫婦別居になってしまいマイナス10などなど。しかし反対に、家が広くなってプラス10、同居して家賃を払わずに済んでプラス10、親の面倒を看たい気持ちが満たされてプラス10、食費が少し浮いてプラス5などなど。それで30点でも取れれば合格です。

反対に世話をされる側は、まだ健康で自由で住居があって、好きに使えるお金もある現在を100点として計算を始めます。病気があっても持ち点は100です。誰か（特に好きでもない嫁など）と同居をすればマイナス10、自由が減ってマイナス10、今の住居が半分占領されたらマイナス10、お金を無心されればマイナス10、と引いていきます。そして、子どもと一緒に住む安心感でプラス10、孫を身近に見る喜びでプラス10などなど。これで30点残れば、嫌々ながらでもきっぱり妥協すべきです。

そうやって細かい計算を考えていると、「やっぱり同居なんて無理だよ」、「まだ元気なんだから介護が必要となる最後の最後まで待つべきだ」という気持ちに誰でもなるでしょうね。だから最初に、「イエス」の部分にピンをしっかり留めて下さいと言ったのです。答えはイエスかノーかの2択でした。その間に「程度の問題だよ」とか「ちょっとくらいいい」と考えたら、孤独死がなくな

孤独死の男女別死因の構成割合

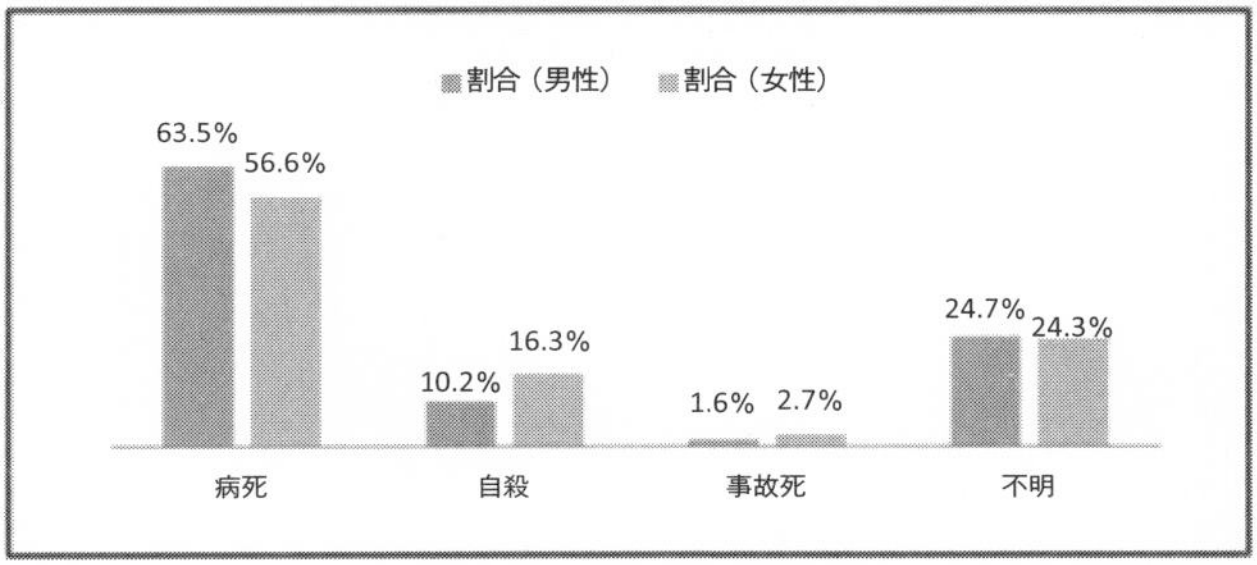

出典：次項とともに一般社団法人日本少額短期保険協会 孤独死対策委員会（2019年）

るような社会は実現できません。

単身世帯だからといって全員が孤独死するわけじゃない、家族との絆が切れているわけじゃないと思いますよね。実際に日本人の働き盛り世代の多く（男性63％、女性58％）が、親と同居・近居して暮らしたいと願っています。これはとても心強い調査結果でした。

しかし上の表を見てください。２０１９年5月に発表された『第４回孤独死 現状レポート』です。孤独死で亡くなった方の死因調査を分析すると、老衰で亡くなる高齢者は少なく（70～80代は全体の25％）、半分以上が病死、10人に一人は自殺です。

では次頁の表を見てください。孤独死のうち自殺が死因だったケースの追跡調査です。驚くべきことに、20代～50代の働き盛りの人が全体の88％を占めています。人生を謳歌するはずの年代に、一人で孤独に自殺を選ぶ人々がこんなにもいるのです。他人事ではありません。あなたが将来家族と離れ、単身で住み、ちょっとしたキッカケから希望を失い、孤

年齢階級別自殺者の割合

	～20代	30代	40代	50代	60代	70代	80代
孤独死自殺者全体	25.3%	25.6%	21.9%	15.7%	8.3%	3.2%	0.0%
うち男性	21.0%	26.7%	23.1%	16.7%	8.9%	3.6%	0.0%
うち女性	38.3%	22.3%	18.1%	12.8%	6.4%	2.1%	0.0%
全国の自殺者（※）	13.2%	12.5%	16.8%	17.2%	14.8%	14.4%	11.0%

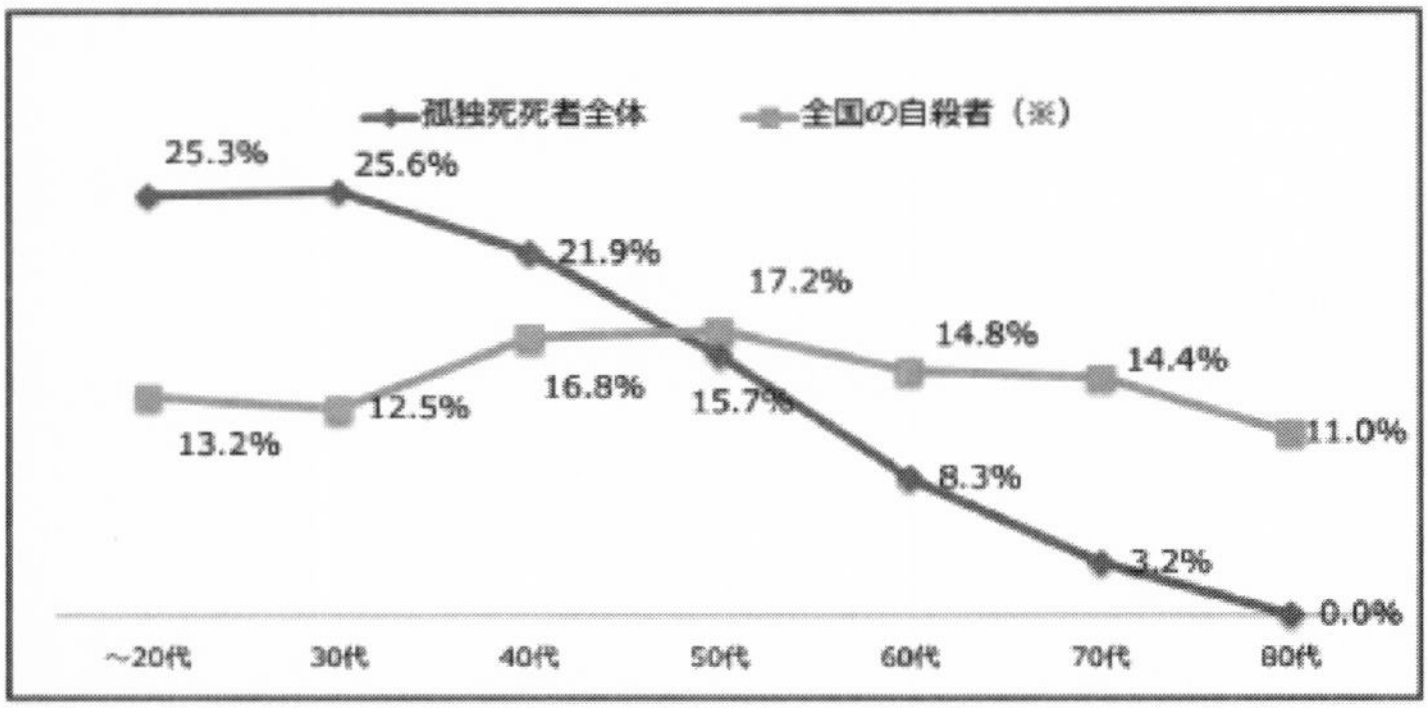

（注）20～40代の自殺が原因の孤独死は、全国の自殺者の割合より高く、40代までで全体の72.8％を占める。特に孤独死女性の場合、20～30代の自殺者は60％を超える。

独死しない保証はどこにもないのです。

ではもう一度訊きます。いかに自由であろうと、煩わしい人間関係から解放されていようと、孤独死が常態化し「もしかして自分も」と恐怖を抱く社会に生きていたいですか。そんな恐怖に脅かされるのが嫌ならば、30点は悪くない得点だとは思いませんか。１００点から30点に下がると考えてはいけません。孤独死なんてマイナス10万点ぐらいなんだから、30点も持っていれば万々歳なんですよ！

これは重要な教訓である。神を畏れる者たちにはよい帰り場所がある。それは永遠の楽園であり、その門は彼らに開かれている。（クルアーン　サード章49、50節）

天国への平坦な道

なぜ私がこんな単純計算をするかといえば、アラブ・イスラーム社会では、老人が同居することに大きな苦痛がないのです。老人だけでなく、孤児、身寄りのない弱者、障害のある人、働く能力を持たない人などが同居するケースがたくさんあるのに、〝大きな苦しみを伴う〟という感覚がありません。いたって単純な答え――「神がそう指示するから」とか、「神が与えた運命だから」があるだけです。だから本当は計算は複雑なものではなく、単純なはずです。ではその単純な方程式はどこにあるのでしょう。

実際問題として、UAEでは家が広い、メイドがいる、福利厚生が厚いというのは事実です。しかし、そんなものは1980年代までUAEにはありませんでした。あったのは、ずっと変わらぬ「神の言葉」です。どの宗教――クリスチャンでも仏教でも――教えは似通っています。親を大切にしろ、慈愛を持て、弱者を慈しめ……。しかし現代の享楽を味わってしまった人間は、そんな言葉を顧みようとはしません。顧みない者が代償にするのは〝天国へ行くチケット〟だと言われたら、どうしますか。

私は天国に、信仰正しい者のために、誰一人見たことも聞いたこともないものを、最も洞察力の深い者でも想像もできないようなものを用意してある。（クドゥスィーのハディース）

日本人だって親を孤独死するまで放って置いたり、埋葬せずに白骨のまま置いて年金を受給し続けたり、自殺しそうな知人を見て見ぬふりしていたら、「自分はいずれ地獄に行くかも」と恐怖するはずです。でも「地獄なんて本当はないんだよ。ただ死ぬだけさ」と思う人もいます。天国もないし地獄もないから、現世を楽しく気儘で自由に過ごそうとします。それが一番代償を払わないで済むからです。しかし自分が孤独死する方だったら、どうでしょう。何を犠牲にしても、そんな最期を遂げたいとは思わないはずです。妥協せずに今持っている100点を死守して孤独死するとしたら、死守したものなんて何の価値もありません。自由を守って地獄を恐れないなんて、なんと罪深い社会構造でしょうか！

人間にとって地獄はそんなに近いのでしょうか。煩悩や欲望を手離せない人には、すぐ間近にある場所なのでしょうか。そして天国はそんなに遠く、高く、苦しい道のりの末に着く場所なのでしょうか。本当は神様は人間に無理強いしないはずです。人間を創造した神は、人間がいかに弱い創造物であるか一番よく知っています。人間だけが1かゼロかの答えを出したがります。30点を取って天国へ行けるなんて、本当は大満足の大得点なのです。

宗教を単なる遊びや戯れと考え、現世の生活に欺かれている者たちは、放っておきなさい。そういう者には、この真実——人間は自分の行いによって身を滅ぼすということ——を警告してあげなさい。アッラーの他にはどんな守護者も執り成す者もいない。すべての代償を提出しても、受け入れられないだろう。(クルアーン家畜章70節)

すべてに埋め合わせはある、リセットの機会は毎年やって来る

人生をリセットする機会を与えられたら、あなたはどう反応しますか。喜ばしいと感じますか。そんな必要はないと思いますか。余計なお世話と怒るかもしれませんね。企業のトップを走っている人、大きな組織を自在に率いている人、売れている俳優や歌手、忙しくて楽しくて有頂天の人には「バカバカしい」話でしょう。でも人生には予期せぬ落とし穴がたくさんあります。それを神様が用意しているとしたらどうしますか。あなたは止まることを余儀なくされ、置いてきぼりをくらい、指示する側から指示される側になり、前日まで出来たことが出来なくなる。とんでもないこと

ですね。

反対に、今あなたを苦しめている状況から抜けられない時はどうでしょう。お金に困っている、孤独にさいなまれている、ゲーム依存になっている、家に引きこもっている、家庭内暴力から抜けられない、失敗していく先がない――そうした人生をリセットする機会が年に一度与えられたら……。環境が変わり新しい自分になれるかもしれない、苦しみが減るかもしれないと期待しませんか。イスラームの断食月はそうした機会です。年に一度、食を断ちながら内省し、自分の道を修正するのです。そんな機会を日本人も活用してみたらいかがでしょうか。

私たちの人生には常にリセットが許されています。あなたの人生のリセットボタンを押せるのはあなただけです。手遅れになることは決してない。なぜなら神はつねに慈悲のドアを開けているからです。代償のない世界はないのだから、何を代償にして何を得るかは、すべてあなた次第です。神はいつもあなたに選択する権利を与えています。そして、この選択こそが、あなたが神から与えられている最も素晴らしい恩恵なのです。

アッラーよ、私の心を照らしてください。私の目と耳と右の手と左の手に、私の上にも下にも、そして後ろにも前にも光を照らしてください。おお、アッラーよ、我らが心の奥底の秘密をご存知のお方、私を暗闇から光の下にお導き下さい。（預言者の〝光の礼拝〟の章句）

参考

第１章

https://www.businessinsider.com/best-countries-to-live-and-work-hsbc-expat-study-2019-7
https://lpi.worldbank.org/international/global/2018
https://www.businessinsider.com/
most-visited-cities-in-the-world-2018-9#2-london-uk-2042-million-international-visitors-19
http://worldpopulationreview.com/countries/oil-reserves-by-country/
http://worldpopulationreview.com/countries/muslim-population-by-country/
https://www.opec.org/opec_web/en/data_graphs/330.htm

第２章

１９２５年、米国テネシー州で進化論を教えた高校教師が裁判にかけられ、「聖書に反する進化論を教えてはいけない」と判決が下り、逮捕される。弁護側は急進労働党の弁護士、検察側は国務長官が就き、全米での公開裁判となる。この時は進化論は聖書への冒瀆と判断された。米国で進化論を教えていいと許可が出たのは１９６８年のことである。

第３章

http://iresearch.worldbank.org/PovcalNet/povDuplicateWB.aspx
https://ourworldindata.org/literacy
https://knoema.com/tbocwag/gdp-forecast-by-country-statistics-from-imf-2020-2024?country=Middle%20
East%20and%20NorthAfrica

https://education-career.jp/magazine/data-report/2019/education-continuance-rate_2018/
https://mei.edu/publications/womens-education-gcc-road-ahead

第4章

https://www.sciencedirect.com/science/article/abs/pii/S1353113102905146
http://apps.who.int/gho/data/node.main.MHSUICIDEASDR?lang=en
https://www.mhlw.go.jp/wp/hakusyo/jisatsu/16/dl/1-10.pdf
https://www.npa.go.jp/safetylife/seianki/jisatsu/H30/H30_jisatunojoukyou_huroku.pdf

第5章

https://www.sankei.com/life/news/191017/lif1910170041-n1.html
https://worldpopulationreview.com/countries/united-arab-emirates-population/
https://cadmus.eui.eu/bitstream/handle/1814/36375/GLMM_ExpNote_07_2015.pdf

第6章

https://zakat.unhcr.org/en/zakat-calculator
https://www.zakat.org/en/zakat-resource-center/en-zakat-calculator/
https://www.muslimaid.org/zakat-calculator/
https://thenextrecession.wordpress.com/2019/10/25/the-top-1-own-45-of-all-global-personal-wealth-10-own-82-the-bottom-50-own-less-than-1/

第7章

http://www.menaraproject.eu/wp-content/uploads/2019/03/menara_fr_3-1.pdf
https://english.alarabiya.net/en/perspective/features/2015/05/28/
More-women-than-men-in-Saudi-universities-says-ministry
https://www.joicfp.or.jp/jpn/wp-content/uploads/2019/12/GGGI2019japan.pdf

第9章
https://www8.cao.go.jp/youth/kenkyu/life/h30/pdf-index.html
https://www.nikkei.com/article/DGXMZO43067040Z20C19A3CR0000/

第10章
https://jbpress.ismcdn.jp/mwimgs/c/f/-/img_cf721862081e77132091a1382971238570215.png
http://www.oecd.org/sdd/37964677.pdf

第11章
http://www3.weforum.org/docs/WEF_GGGR_2020.pdf
https://www.mlit.go.jp/common/001123470.pdf
http://www.shougakutanki.jp/general/info/2019/report_no.4.pdf

おわりに

ある時、私はアラブの友人に不思議な質問を訊かれました。「How is your life treating you ?」。この質問を理解するため、少し考えなければなりませんでした。直訳すれば「人生はあなたをどう扱っている?」です。つまり、運命はあなたをどんな風に遇している? 神が与えた運命は、その主人公であるあなたに優しい? 辛く当たっていない? 大切にしてくれる? と尋ねているのです。大方の日本人はこんな質問をされたことはないでしょう。

その不思議な質問に、あなたならどう答えますか。大真面目に返事を探すのではないでしょうか。しかしムスリムは探しません。「えぇ、私には十分優しいです。ありがたいことです」と答えるからです。「神様はひどい運命を自分に与えた」とか、「なんでこんな目に遭うのだ。不公平だ」と運命を呪ったりはしません。第2章にイスラームとは〝絶対服従〟だと書きました。それぞれの人間に運命を授ける神の采配に、疑問を呈したり文句をつけたりしないのです。「アルハムドゥリッラー=神の御心のままに」と感謝する答えだけが存在します。

私はなるほどと思いました。運命と自分を切り離せば、苦しいことも悲しいこともちょっと他人事になります。親に育児放棄された、恋人に捨てられた、心が折れてしまった、貧困で食べ物がない、戦時下で極限状態だ、それらは神が与えた運命で、自分の努力ではどうにもならなかった、自分は単なる肉体の管理者で、そこに予期せぬ変わった客（運命）を迎えただけだ、というわけです。そう思えば少しは心が軽くなります。

こんな質問はふつう若い人同士では尋ねません。人生の半分くらいを過ぎ、手の内にあったはずの家族も環境も思わぬ方向に動いていってしまった人間が、自分の心を許した仲間を労わりながら訊く質問です。私も、結婚したばかりの頃に知り合った人に久しぶりに会って訊かれました。

ここには、自分の人生がコントロールできるという傲慢さがありません。一人ひとりの運命は神が授けると心の底から信じ、他人や自分を責め目先の損得で人生を判断することを放棄した、知恵と諦念と安穏が詰まっています。この現世で小さなことに勝っても、来世で天国に行けなければ意味がない。大変な苦しみが現世で襲っても、天国に行けるなら成功だ。その成功の秘訣はただひとつ、感謝して生きることに尽きるのです。親に感謝し、自分の境遇に感謝し、周りに感謝し、神に感謝する――塗炭の苦しみにいる人には何の解決にも見えなさそうな「感謝」で、ムスリムは心の平静を得ることができます。感謝していることを神が知れば、それだけで充分天国へ行けるからです。

２０２０年、人類は目に見えないウイルスと闘い、社会生活を大きく変えることを強いられました。多くの人命を犠牲にしたあまりに急激な変化で、世界中の誰もが十分な備えをすることはできませんでした。どの国でも命を守ることが優先で、経済も政策も教育も何もかもが後回しになりました。

私の運営する日本語学校は、集会禁止が発令された2020年の3月に閉鎖し、8月になってやっとオンライン授業に切り替わりました。UAEではWi-fiが全国に行き渡っているので、それほどの混乱が起きなかったのは幸いです。時を同じくして、アラブ文化講習に参加していた日本人の生徒さんたちとは、「収束したらまたすぐに会いましょうね！」と手を振って別れたきりです。その多くはすでに混乱の駐在期間を終えて、日本へ帰国してしまいました。

東京オリンピックは1年延期となり、ドバイ国際万国博覧会も1年延期されました。2019年の秋、「記念すべき1年前の万博会場！」と銘打った万博予定地を、生徒たちと目を丸くして見学したのが夢の出来事のようです。それからの1年間は、巨大なクレーンが宙に伸びたままずっと放置されていました。世界中の個人や企業はとてつもない損害を被り、多くの方が健康を害され亡くなり、ウイルスの脅威に怯え、先の見えない混乱の中にあります。これは人災でしょうか。それとも神の計画だったでしょうか。

成そうとしても成らないものは世の中に千も万もあります。神が計画したものでなければ、決して可能にはならないし、神が計画した運命ならそれは必ず起こります。老若男女、貧富、出自の区別なく人類を襲い、人間の知能の限りを尽くしても的確なワクチンを見つけられない、また、その変異の早さに追い付けないウイルスを前に、人間の力の限界を感じた日本人も多いのではないでしょうか。

運命に逆らわないことを、私たちは美しい形で学び取らなければなりません。美しい形というのは、「どうせこんな人生だから」、「こんな程度の運命だから」、「神様がとっくに決めちゃっているから」と否定的・悲観的にならず、静かに変わらず感謝の気持ちを持ち続け、生きることです。

戦時下のシリアやイエメンの生活がどれほど悲惨で不幸か、中東に生きている私が知らないわけではありません。産油国の政治や経済がどれだけ脆弱か、格差社会がどれほど酷いか、旧支配国の呪縛がどれほど新興国を苦しめているか、わからないほど愚鈍でもありません。それに対し目をつぶっているわけでもないし、綺麗ごとだけ並べて書いているつもりもない。私は私なりに、自分の子どもたちが生きていく中東の未来を深く憂慮し、新しい時代が来ることを心の底から祈念しています。

未来はそうならないかもしれない。でも信じるのは力です。私はそう信じ続けたまま人生を終えていきたい。日本人もきっと気持ちは同じでしょう。どんな子どもも自殺せず、イジメなんか誰も興味がなく、引きこもりそうな家族の心配をせず、近所がいろいろ援けてくれて、老後不安に悩まされず、孤独死の可能性なんかこれっぽっちもない社会になることを、きっと願っているはずです。そんな社会になるためには、大きな別の物を代償にしなければならないかもしれません。けれど解決策はある、自分たちはそこに近づいていると信じたいはずです。だからお互いにヒントを分け合いましょう。明日はきっと今日よりいいと信じることは、信じないよりも遥かに確かに私たちを救ってくれます。

この本の構想を練り始めてからすでに3年が経ちました。長い間辛抱強く待ち続けて下さった国書刊行会の佐藤今朝夫社長には、その変わらぬ支援と激励に深く感謝を申し上げます。編集担当の中川原徹様、萩尾行孝様にも御礼申し上げます。コロナで家から出られず、おまけに階段を踏み外して怪我をした私に、「これは天命だよ。書きなさい」と背を押してくれた夫ユーセフ、歩けずにじっと執筆する私を励まし続けてくれた子どもたち、私をここまで導いてくれたUAE社会と、そこに住む心優しい人々に深く感謝を捧げたいと思います。

2021年4月

ハムダなおこ

著者紹介
ハムダなおこ
日本ＵＡＥ文化センター代表、作家、エッセイスト。
1989年早稲田大学文学部文芸科卒。
1990年、ＵＡＥ男性と国際結婚し、ＵＡＥに移住。３男２女をもうける。
2008年、日本ＵＡＥ文化センターを創設。講演、エッセイ、ジャーナルなどを通して、日本文化をＵＡＥ地域社会に、ＵＡＥ文化を日本社会に伝える活動を続けている。
著書『アラブからこんにちは』（国書刊行会、2013年）、『アラブからのメッセージ』（潮出版社、2015年）、『ようこそアラブへ』（国書刊行会、2016年）
翻訳書『シャヒード100の命』（インパクト出版会、2003年）
2012年、第８回「文芸思潮」エッセイ賞受賞。
2015年、第３回「潮」アジア・太平洋ノンフィクション賞受賞。

アラブに自殺《じさつ》、イジメ、老後不安《ろうごふあん》はない
――ムスリムにならう幸福《こうふく》の見《み》つけ方《かた》

2021年５月25日　初版第１刷発行

著　者　ハムダなおこ
発行者　佐藤今朝夫

〒174-0056 東京都板橋区志村 1-13-15
発行所　株式会社　国書刊行会
電話 03（5970）7421　FAX 03（5970）7427
https://www.kokusho.co.jp
装幀　真志田桐子

落丁本・乱丁本はお取替えいたします。印刷製本 三松堂株式会社

ISBN978-4-336-07183-5